MW00340460

ANAYA | ESPAÑOL LENGUA EXTRANJERA

 gramática

Concha Moreno
Carmen Hernández
Clara Miki Kondo

Medio B1

ANAYA ñ ELE

Diseño del proyecto: Milagros Bodas, Sonia de Pedro

© Del texto: Concha Moreno, Carmen Hernández, Clara Miki Kondo
© De la edición: Grupo Anaya, S. A., 2007
   Juan Ignacio Luca de Tena, 15 - 28027 Madrid

2.ª edición: 2017
6.ª reimpresión: 2017

Depósito legal: M-28742-2016
ISBN: 978-84-698-2858-8
Printed in Spain

Coordinación y edición: Milagros Bodas, Sonia de Pedro
Diseño de interiores y maquetación: Ángel Guerrero
Ilustración: Tomás Hijo
Diseño de cubierta: Fernando Chiralt
Corrección: Carolina Galera
Estudio de grabación: Anaya Educación

Las normas ortográficas seguidas en este libro son las establecidas por la Real Academia Española
en su última edición de la *Ortografía*.

Reservados todos los derechos. El contenido de esta obra está protegido por la Ley, que establece penas de prisión y/o multas, además
de las correspondientes indemnizaciones por daños y perjuicios, para quienes reprodujeren, plagiaren, distribuyeren o comunicaren
públicamente, en todo o en parte, una obra literaria, artística o científica, o su transformación, interpretación o ejecución artística
fijada en cualquier tipo de soporte o comunicada a través de cualquier medio, sin la preceptiva autorización.

EL000547/1E1I - 1181325

PRESENTACIÓN

Anaya ELE  es una colección temática diseñada para aunar teoría y práctica en distintos ámbitos de la enseñanza de Español como Lengua Extranjera. Su objetivo es ofrecer un material útil donde la teoría se combine de forma coherente con la práctica y permita al alumno una ejercitación formal y contextualizada a través de actividades amenas y variadas, teniendo en cuenta siempre el **uso** de los contenidos que se practiquen.

Esta colección se inició con un libro dedicado a los **verbos,** un **referente** destinado a estudiantes de todos los niveles.

Anaya ELE  es una serie dedicada a la **gramática,** al **vocabulario,** a la **ortografía,** a la **escritura** y a la **fonética,** estructurada en tres niveles y basada en el *Plan Curricular del Instituto Cervantes.*

Esta gramática **teórico-práctica** parte del uso, y estructura de forma coherente los contenidos gramaticales y su funcionamiento.

ESTRUCTURA DE LA UNIDAD

Cada unidad consta de:

- **¡Fíjese!** Viñeta con muestras de lengua donde se contextualizan algunos de los puntos que se desarrollarán en la unidad.

- **Así se construye.** Ficha con información formal y estructural.

- **Así se usa.** Ficha destinada a explicar el uso de las formas y su contexto.

- **Practique cómo se construye.** Apartado dedicado a la práctica de las estructuras.

- **Practique cómo se usa.** Apartado destinado a trabajar las formas y estructuras en su contexto, sus usos y funcionamiento.

- **Mis conclusiones.** Esta sección no tiene por objetivo una reflexión profunda sobre los contenidos vistos. Lo que pretendemos es que quienes hayan leído la teoría y realizado los ejercicios se detengan un momento para asegurarse por sí mismos —y antes de consultar las soluciones— de que han entendido y asimilado los contenidos de la unidad. Creemos que no basta con "acertar" las respuestas. Para interiorizar lo estudiado hay que reflexionar sobre ello.

En todos los manuales se incluyen las **soluciones** de los ejercicios; de esta forma se constituye en una herramienta eficaz para ser utilizada en el aula o como **autoaprendizaje**.

Anaya ELE pone al alcance del estudiante de español como lengua extranjera un material de trabajo que le sirve de complemento a cualquier método.

ÍNDICE

# **I**NTRODUCCIÓN

«Es el punto de partida el que crea el objeto». Corder (1973)

Siguiendo a Corder, esta gramática en tres niveles no podría entenderse sin ese punto de partida o posicionamiento metodológico por parte de las autoras.

Creemos, con el *Marco común europeo de referencia para las lenguas,* que:

"Formalmente, la gramática de una lengua se puede considerar como un conjunto de principios que rige el ensamblaje de elementos en compendios (oraciones) con significado, clasificados y relacionados entre sí. La competencia gramatical es la capacidad de comprender y expresar significados expresando y reconociendo frases y oraciones bien formadas de acuerdo con estos principios (como opuesto a su memorización y reproducción en fórmulas fijas)".

Es decir, que los usuarios deben tener modelos para construir oraciones bien formadas y poder reconocer las que se encuentren tanto en forma oral como escrita. Por otra parte, esos modelos deben extraerse del funcionamiento en uso del sistema, cuya observación nos permitirá extraer reglas que servirán para elaborar mensajes que expresen significados. Pero la nuestra no es una gramática que se detenga en las estructuras oracionales, sino que **tiene en cuenta el nivel supraoracional,** los contextos en los que se producen los diversos usos, el discurso completo (lo dicho anteriormente, lo compartido o conocido...), la significación y la intencionalidad del interlocutor. Por lo tanto, no es un mero compendio de modelos entendidos como construcciones, dado que en nuestra concepción de la gramática son muchos los componentes que se interrelacionan.

LOS DESTINATARIOS

Si para crear el objeto necesitamos un punto de partida, también debemos tener en mente unos interlocutores o destinatarios cuando escribimos. Para nosotras estos son los estudiantes de español interesados en iniciar, profundizar o ampliar sus conocimientos lingüísticos del español. Con esta gramática pueden hacerlo **con la ayuda de sus profesores o como autodidactas,** ya que al final de cada libro se incluyen las soluciones de todos los ejercicios. Incluso, cuando las respuestas son más abiertas, se hacen comentarios o se dan ejemplos.

También se ofrece un **test de autoevaluación,** para que el estudiante pueda asegurarse de que ha asimilado los contenidos principales de cada nivel. Los profesores también encontrarán explicaciones coherentes, amplias y niveladas que podrán llevar a clase completándolas –qué duda cabe– con su aportación personal.

LOS NIVELES

Abordar el estudio de la gramática de una lengua no es una tarea inasequible si los contenidos están repartidos en niveles. Para establecer esos contenidos nos hemos apoyado en las directrices marcadas por el *Plan Curricular del Instituto Cervantes* (2007). Esta secuenciación debe ser lo suficientemente sólida para que sirva de base a la construcción del conocimiento lingüístico posterior.

De acuerdo con los diferentes niveles de referencia, el grado de dificultad y de profundización va aumentando progresiva y paulatinamente. Por ello, muchos contenidos se repiten en los tres niveles y esta es una de las mejores bazas de esta gramática: los contenidos no se asocian con un nivel sino que se van adquiriendo en función de las necesidades de cada uno, la dificultad o el grado de reflexión requerido.

TIPO DE EXPLICACIONES

Teniendo en cuenta el grado de conocimiento lingüístico previo que presuponemos en los estudiantes de los niveles Elemental y Medio (A1-A2 y B1), hemos procurado que las explicaciones correspondientes sean sencillas, sin demasiados conceptos abstractos al principio. No obstante, en nombre del **rigor y la coherencia,** hemos preferido mantener a lo largo de la obra un metalenguaje que oriente a los lectores. Asimismo, este rigor se aprecia en las **explicaciones** y en la **reflexión previa** que las sustenta. A diferencia de otras gramáticas, se ofrecen criterios de análisis innovadores que hasta ahora apenas se habían considerado:

- qué tipo de complementos selecciona un determinado contenido gramatical,

- qué restricciones impone y

- qué matices intencionales se derivan de todo ello.

Aspectos como la posición, la distribución, el foco, la cuantificación, la estructura argumental de los predicados... están sobreentendidos en las explicaciones, eso sí, expuestos de **manera pedagógica y clara,** porque el rigor no debe estar reñido con la claridad.

Las frases agramaticales van precedidas de un asterisco (*).

LA UNIDAD

La lengua es forma y significado y en nuestra visión de la gramática es prácticamente imposible separarlos. Creemos que el conocimiento de la primera ayudará a entender el significado cuando está en contexto. No obstante, en los primeros niveles, el destinatario se enfrenta a la necesidad de afianzar los aspectos más paradigmáticos o estructurales; no así en el nivel Avanzado (B2), en que, por su grado de conocimiento, el estudiante ya no requiere esta separación entre forma y significado pues, aunque todavía ha de seguir aprendiendo, ya cuenta con unas bases sólidas.

Por otra parte, dependiendo del **estilo de aprendizaje personal o cultural,** la importancia de dominar las formas lingüísticas es determinante para poder construir mensajes con sentido. Muchos estudiantes de español se encuentran en este caso, de ahí que hayamos decidido trabajarlas por separado en dos apartados y con fines pedagógicos en los dos primeros niveles.

Incluimos también dos CD con el fin de que el estudiante pueda escuchar los contextos en los inicios de unidad y paradigmas verbales, además de comprobar en muchas ocasiones a través del audio si ha realizado bien un ejercicio. Así, con la ayuda de la imagen fónica, se fijan mejor las estructuras y los usos lingüísticos y, por otra parte, el estudiante tendrá modelos de entonación que, si lo desea, podrá imitar cuando hable.

CONCLUSIÓN

Hemos construido un conjunto de redes que, por un lado, vincula entre sí las formas y los usos y, por otro, a los usuarios con las explicaciones de esta lengua, que además les sirve para relacionarse y comunicarse con el mundo. Esperamos que la comunicación corra fluida por todas ellas y que el final de los tres niveles no sea un punto de llegada, sino un punto y seguido para continuar aprendiendo desde otra perspectiva.

Agradecemos la colaboración de nuestras editoras, la experiencia proporcionada por nuestros alumnos y alumnas y, muy especialmente, agradecemos la paciencia de nuestras familias y amigos por nuestras ausencias de los últimos tiempos.

Las autoras

Gramática

teoría y práctica

1 Me corté con las tijeras

EL SUSTANTIVO: GÉNERO Y NÚMERO IRREGULARES

 **¡ F Í J E S E !**

(1: 1)

El manzano / La manzana

Las gafas

Las tijeras

El elefante macho / El elefante hembra

Los calzoncillos

Así se construye

(→ Unidad I, nivel Elemental)

- Hay sustantivos que designan animales o personas sin diferenciar el sexo. Pueden ser masculinos o femeninos.

El	leopardo (macho / hembra) cocodrilo (macho / hembra) gorila (macho / hembra)	*El leopardo macho.*

La	tortuga (macho / hembra) araña (macho / hembra) víctima persona	*La araña hembra.*

- Casos de número irregular.
  - Sustantivos que van siempre en plural: *las nupcias, los víveres.*
  - Sustantivos que van siempre en singular: los puntos cardinales (*el norte, el sur, el este, el oeste*), *la sed, el caos, el pánico.*
- Los nombres terminados en **-ay, -ey, -oy, -uey** en singular terminan en una **y** que suena como la vocal **i,** pero en plural la **y** suena como una consonante al añadir **-es.**

    ay → ayes; rey → reyes; ley → leyes; buey → bueyes; convoy → convoyes.

• Los sustantivos que siempre son masculinos o femeninos concuerdan en ese género con las palabras que los acompañan: el artículo, el demostrativo, los indefinidos y los adjetivos.

> **Este** leopardo es macho y **aquel** que está con las crías es hembra.

Así se usa

El género (→ Unidad 1, nivel Elemental)

• Existen sustantivos referidos a los seres humanos que se distinguen con el artículo. A este grupo pertenecen los sustantivos terminados en **-ista** y **-nte**.

> **El** testigo / **la** testigo.
> **El** artista / **la** artista.
> **El** cantante / **la** cantante.

• El cambio de género puede conllevar cambio de significado entre palabras relacionadas semánticamente.

> – La fruta o el fruto van en femenino, pero el árbol va en masculino.
>
> > **Esta manzana** está madura. / **Este manzano** está cargado de manzanas.
> > **La castaña** es blanca por dentro. / En ese parque hay much**os castaños.**
>
> – Con el género se indican diferencias de tamaño o forma.
>
> > **Echa** la camisa al **cesto** de la ropa sucia. (Más grande).
> > Fue muy amable. Me regaló **una cesta** de uvas. (Más pequeño).

• A veces el cambio de género modifica por completo el significado de la palabra.

> **El** cometa / **la** cometa. **El** frente / **la** frente.

El número

• Hay sustantivos que van en plural aunque se refieren a un único objeto. Eso es general-mente porque están compuestos de dos partes iguales o simétricas. Concuerdan en plu-ral con las palabras que los acompañan.

> **Unas** gafas **oscuras.** / Necesito **unas** tijeras **pequeñas.**
> Se levantó con **unas** ojeras **tremendas.**

> – Algunos de estos sustantivos se pueden usar también en singular aunque suele ser menos frecuente.
>
> > El pantalón / los pantalones.
> > El calzoncillo / los calzoncillos.
> > La braga / las bragas.

EJERCICIOS

Practique (cómo se construye)

1 Clasifique los siguientes sustantivos y ponga el artículo.

> reloj / libro / hormiga / perro / mesa / ballena / gato / mono / rana / pez / sapo / araña / león / silla / hipopótamo / vestido / elefante

1 Distinto sexo, pero género masculino	2 Distinto sexo, pero género femenino	3 Distinto sexo, distinto género	4 Sin sexo pero con género
....	*La araña*	....	....
....	....	....	....
....	....	....	....
....	....	....	....

(1: 2)

2 Relacione y escriba el artículo correspondiente. Escuche y compruebe.

estudiante: ...... *El / la* ......
cocodrilo: ....
foca: ....
cantante: ....
mosca: ....
tortuga: ....
gorila: ....
periodista: ....
cólera: ....
víctima: ....

El
La
El / La

3 Indique si estos sustantivos pueden variar de número o no. Después, cambie el número de los sustantivos que varían.

Ej.: *casas → casa: sí varía.*
    nupcias: no varía.

1. Facciones →
2. Sillas →
3. Sed →
4. Ley →
5. Caos →
6. Flores →

7. Pánico →
8. Faldas →
9. Oeste →
10. Salud →
11. Ojeras →
12. Convoyes →

4 Señale si estas palabras se refieren a un fruto o a un árbol.

	FRUTO	ÁRBOL
Naranja	✓	
Ciruelo		
Cerezo		
Naranjo		
Avellana		
Ciruela		
Avellano		
Cereza		

Practique  cómo se usa

(1: 3)

5 Subraye la opción correcta (en un caso valen las dos). Escuche y compruebe.

1. No encuentro ni el lápiz ni el *sacapunta* / *sacapuntas*.
2. ¡Vaya! Tengo invitados en casa y ahora no me funciona el *lavavajillas* / *lavavajilla*.
3. Los montañeros sobrevivieron en medio de la nieve casi sin *vívere* / *víveres*.
4. ¡Qué *medias* / *media* más bonitas!
5. Raquel en invierno siempre lleva *pantalón* / *pantalones*.
6. ¡Fue terrible! Durante toda la noche vivimos momentos de *pánicos* / *pánico*.
7. ¿Por qué no quieres presentarte en el juicio como *testiga* / *testigo*?
8. ¡Mira! Leo tiene un tatuaje en *el frente* / *la frente*.
9. ¡Vaya! No tengo *sacacorchos* / *sacacorcho* para abrir la botella.
10. Pásame *la cuba* / *el cubo* de agua para regar *el manzano* / *la manzana*.
11. *El cocodrilo* / *la cocodrila* pone de 10 a 40 huevos.

M I S   C O N C L U S I O N E S

6 Marque verdadero (V) o falso (F).

a. Puede haber un objeto singular pero con forma plural: ......
b. La palabra *víctima* se refiere siempre a alguien femenino: ......
c. Se puede decir *ojera*: ......

7 Complete.

A veces, el género diferencia entre árbol y fruto, el árbol va en .... y el fruto
o la flor en .... A veces, los nombres de los animales van siempre en
masculino o femenino, por ejemplo, decimos .... araña, y puede ser macho o
.... pero siempre va en género ....

¡ F Í J E S E !

(1: 4)

Por fin he cazado al asesino de **las Galápagos.**

Eres más lista que **el hambre.**

Así se construye

(→ Unidad I, nivel Elemental)

- **Los artículos indeterminados o determinados**
  - Van delante del sustantivo.

un amor	*una mesa*	*un libro*
el amor	*la mesa*	*el libro*

  - Los sustantivos femeninos que empiezan por **a-** o **ha-** tónica en singular llevan el artículo **el / un.** Aunque no se considera incorrecto, no es frecuente el uso de **una** en estos casos.

el agua	*el aula*	*el hambre*	*el hacha*	*el águila*
un agua	*un aula*	*un hambre*	*un hacha*	*un águila*

    PERO **la hache** / **una** hache, **la** a / **una** a.

  - En plural sí llevan el artículo femenino **las / unas.**

las aguas	*las aulas*	*las hachas*	*las águilas*
unas aguas	*unas aulas*	*unas hachas*	*unas águilas*

- **Artículo indeterminado**

  No puede ir con otros determinantes: demostrativos o posesivos, indefinidos, etc., excepto *todo, toda* (singular) y *cierto.* Fíjese en el orden.

  *Le han concedido ese premio por **toda <u>una</u>** vida dedicada a la enseñanza.*

  *Mi abuelo era **todo <u>un</u>** hombre; eso decía mi abuela, al menos.*

  *Aquí se nota **<u>un cierto</u>** olor a podrido.*

¡ATENCIÓN!

* *Por favor, ~~un~~ otro café y otra cerveza.* → *Por favor, otro café y otra cerveza.*

Usamos siempre el artículo indeterminado:

– con gradativos (→ Unidad 24, nivel Elemental)

Vimos la película muy buena. → *Vimos **una** película **muy** buena.*

Este es el libro bastante interesante. → *Este es **un** libro **bastante** interesante.*

– con el complemento directo del verbo *tener* cuando se especifica alguna característica del nombre con la estructura *que* + infinitivo.

Tengo la cosa que decirte. → *Tengo **una** cosa **que** decirte.*

Tenemos la duda que preguntarte. → *Tenemos **una** duda **que** preguntarte.*

- ● **Artículo determinado**

Puede ir delante de un adjetivo y entonces lo convierte en un sustantivo (→ Unidad 6).

la (toalla) grande   los (muebles) viejos   las (personas) divertidas

– **LO** + adjetivo tiene valor abstracto, no se refiere a un objeto concreto.

lo *bueno*   **lo** *conveniente*   **lo** *práctico*

– Llevan siempre artículo:

○ Algunos nombres de accidentes geográficos:

Las montañas y los ríos son siempre masculinos: *los Pirineos, **los** Andes, **el** Orinoco…*

Las islas y archipiélagos son femeninos: *las Galápagos, **las** Canarias…*

○ Los nombres de familias:

*los Pérez, **los** Borbones…*

PERO *las* + apellido se refiere a las mujeres de esa familia: *las Hernández.*

○ El sustantivo cuando el verbo de la frase es *gustar, encantar, parecer, doler* entre otros.

*Me gusta **el** pescado. / Me duelen **los** pies. / Me molestan **las** personas prepotentes.*

– Algunos nombres de países pueden llevarlo:

*los Estados Unidos, **el** Brasil, **la** India, **la** Argentina, **el** Perú…*

- ● **Posibilidades combinatorias de los artículos**

Los artículos no se combinan con:

– los posesivos: **mi un libro / el mi libro / un mi libro / el suyo libro…*

– los demostrativos: **ese un libro / un ese libro / ese el libro…*

– indefinidos: **algún el disco / demás unas mesas / otros los niños…*

PERO el artículo determinado sí puede combinarse con **todo, toda, todos, todas.**

Todo el *día,* **toda la** *vida,* **todos los** *domingos,* **todas las** *mañanas.*

Y el artículo indeterminado puede ir con **todo / toda,** pero solo en singular.

Todo un *día,* **toda una** *vida.*

– Detrás del artículo determinado, sí pueden ir:

○ Los indefinidos:

otros los libros → **los otros** libros

demás los libros → **los demás** libros

○ Los numerales:

dos las amigas → **las dos** amigas

cinco los escalones → **los cinco** escalones

¡ATENCIÓN!

Los posesivos tónicos: *mío, tuyo, suyo…* y los demostrativos: *este, ese, aquel…* no pueden ir entre el artículo y el sustantivo, PERO sí detrás del nombre.

una mía amiga → **una** amiga **mía**

el ese libro → **el** libro **ese**

Así se usa

- **Artículo indeterminado.** Se usa para:
- – referirse a algo por primera vez.

    ¿Me das **una** hoja, por favor? Es que no tengo nada para apuntar.

    Necesito urgentemente **un** móvil nuevo. El mío se ha estropeado.

- – identificar a una persona dentro de un grupo.

    Una hermana de Carmen vive en Barcelona.

- – expresar algo con valor aproximado.

    Me costó **unos** veinte euros.

- – dar énfasis a muchas cualidades negativas (referidas a personas) y a algunas positivas en casos muy determinados.

    No lo invites, es **un pesado**. / Son **unos antipáticos** insoportables.

    Pepe es **un santo** / **un genio**.

    ### ¡ATENCIÓN!

    En estos casos, los adjetivos que expresan cualidades positivas son también sustantivos.

    > ¿Cuál es **el santo** más pequeño?

    < Lo sé: San Tito (santito).

- – La estructura artículo indeterminado + nombre de parentesco o relación + posesivo tónico se usa para hablar de familiares o amigos cuando queremos decir que hay más de uno.

    Un primo mío emigró a América.

- **Artículo determinado.** Se usa para:
  - mencionar algo de lo que ya se ha hablado o que es conocido por los interlocutores.

    *Te devuelvo **la** hoja que me diste el otro día.*

    *¿Este es **el** móvil nuevo?*

  - hablar de algo específico o único.

    ***La suegra de mi hermana** es encantadora.*

    *Tenemos **el sarampión**.*

    *Mira, ha salido **el sol**.*

  - aludir a una idea o concepto en abstracto, no a un objeto concreto; en este caso se usa **lo** + adjetivo:

    ***Lo inteligente** es zanjar cuanto antes este asunto.*

    ***Lo barato** a veces resulta caro.*

EJERCICIOS

Practique cómo se construye

1 Ponga el artículo determinado que corresponda. Escuche y compruebe.

(1: 5)

1. ..la... moto
2. ...... corazón
3. ...... hachas
4. ...... sofás
5. ...... aulas

6. ...... brazo
7. ...... aula
8. ...... manos
9. ...... águila
10. ...... mapa

2 Complete con el artículo determinado o indeterminado.

1. ..Los.. Pirineos están en la frontera entre Francia y España.
2. Me gusta mucho ...... Museo del Prado.
3. Juego a ...... baloncesto todos los miércoles.
4. ¿Me puedes dejar ...... bolígrafo, por favor? Es que no tengo para apuntar.
5. David Bustamante ha sacado ...... disco buenísimo.
6. ...... Amazonas pasa por ...... Brasil.
7. No he visto ...... película buena desde hace mucho tiempo.
8. Me ha costado ...... cincuenta euros.
9. Por la noche siempre acompañábamos a ...... Acevedo a casa, a las tres hermanas.
10. Tenemos ...... aula muy luminosa.

3 Ordene estos elementos.

Ej.: tía / mía / una → *una tía mía.*

1. el / profesor / otro ....

2. mundo / el / todo ....

3. una / toda / historia ....

4. sonrisa / cierta / una ....

5. tres / los / mosqueteros ....

6. los / esos / chicos ....

7. opinión / suya / una ....

4 Complete con *el* o *lo.*

Ej.: *Te envío por correo electrónico* **el** *programa de los cursos que me pediste.*
Siempre busca **lo** *positivo de cada situación.*

1. Aquí tienen ...... antivirus más reciente del mercado.

2. Mira cómo ha crecido ...... naranjo.

3. ...... interesante de este curso es que nos hacen pensar.

4. Apaga ...... ventilador, por favor; me molesta ...... aire que no es natural.

5. No te imaginas ...... bonito que está ...... monte en otoño.

6. Haremos ...... imposible por ayudarlos.

5 Complete con el artículo que convenga. Escuche y compruebe.

(1: 6)

Ej.: *Nunca piensa en* **los** *demás compañeros. Es un egoísta.*

1. Podéis venir todos, tenemos ...... casa bastante grande.

2. ...... hermano mío es dibujante. ...... otro es biólogo.

3. Desde aquí se ve ...... paisaje muy hermoso.

4. ¡Qué temprano! Todavía no ha salido ...... sol.

5. Nos han puesto ...... examen demasiado difícil para este nivel.

6. Solo suben a ...... podio ...... tres primeros clasificados en cada competición.

7. Todavía no he hablado con todo ...... mundo. No he tenido tiempo.

Practique cómo se usa

6 Relacione con el significado.

1
1. Una hermana de Paco vive en Almería.
2. La hermana de Paco vive en Almería.

a. Antonio tiene solo una hermana.
b. Antonio tiene más de una hermana.

2
1. Déjame un bolígrafo, por favor.
2. Déjame el bolígrafo azul, por favor.

a. Pide un bolígrafo concreto.
b. Pide cualquier bolígrafo.

3
1. Tengo un libro de Ana.
2. Tengo el libro de Ana.

a. Habla de un libro específico.
b. No habla de un libro específico.

4
1. Busco un libro de historia del arte.
2. Busco el libro de historia del arte.

a. Cualquier libro de historia del arte.
b. Sabemos qué libro es.

5
1. Un tío mío es arquitecto.
2. Mi tío es arquitecto.

a. Tengo solo un tío.
b. Tengo más de un tío.

7 Observe las expresiones subrayadas y señale la respuesta incorrecta.

a. Galicia es una región bañada por las aguas del océano Atlántico en las zonas costeras y por las del río Miño y sus afluentes en el interior.

1. Se usa el artículo determinado porque los sustantivos están especificados.

2. Se usa el artículo determinado porque nos referimos a un río concreto.

3. Se usa el artículo determinado porque solo existe un elemento de los mencionados.

b. En la vieja casa de la abuela hemos construido un restaurante. Está situado en una zona llena de árboles. Se llega tomando un camino que no está asfaltado.

1. Se usa el artículo indeterminado porque solo hay un elemento de los mencionados.

2. Se usa el artículo indeterminado porque hablamos por primera vez de esos sustantivos.

3. Se usa el artículo indeterminado porque los sustantivos no están especificados.

8 Complete usando un artículo determinado o indeterminado. Escuche y compruebe.

(1: 7)

1. **En casa**
> Mira, todas ...las.... luces se apagan y se encienden sin motivo alguno.

< ¿Y por qué no llamas a .... electricista?

(Unos días después).

> Oye, ¿llamaste a .... electricista?

< Sí, vino y arregló .... luces, pero estropeó .... lavadora. Ahora tengo que llamar a .... técnico en electrodomésticos.

2. En un bar

> ¿Qué quieres? ¿......... café o .... té?

< ... té con limón, ... café me sienta mal.

3. A la puerta del cine

> ¿Qué te apetece ver?

< .... última película de Tarantino.

> ¿Seguro? Pero si siempre dices que .... cine de acción no te gusta.

4. Por teléfono

> ¿Sabes que me he comprado .... casa en el campo?

< ¡Qué bien! Por fin has conseguido .... casa de tus sueños. ¡Enhorabuena!

5. En una tienda de muebles

> Buenos días, ¿qué deseaban?

< Necesitamos .... armario ropero y .... cama de matrimonio.

> Pues miren, aquí tienen .... dormitorio completo con .... armario, ... cama y todo lo demás.

¿Cuánto cuesta .... armario? Me parece demasiado grande.

> Lo vendemos todo junto, no por piezas.

Entonces no lo queremos, muchas gracias.

9 **Responda con *lo* y uno de los siguientes adjetivos.**

> moderno, triste, inútil, barato, raro, breve

Ej.: > *A mí me parece que el discurso es demasiado corto.*
> < *No, no, así está bien:* **lo breve** *es dos veces bueno. No quiero aburrir a la gente.*

1. > Están viviendo una situación dramática.

< Sí y .... es que no podemos ayudarlos.

2. > No hemos venido aquí para oír tonterías que no sirven para nada.

< ¡No me digas! Pues yo creo que .... es perder el tiempo insultándonos unos a otros.

3. > Me he comprado unos zapatos por diez euros, ¡qué baratos!, ¿no?

< Sí, pero a veces .... resulta más caro.

4. > ¡Qué colores tan...! ¡No son un poco llamativos?

< ¡Qué va! .... ahora es llevar muchos colores y muchos adornos.

5. > ¿Sabes algo de Marisa?

< No, y .... es que no contesta a las llamadas ni a los mensajes de nadie.

10 Reaccione enfatizando la cualidad negativa: *pesado, egoísta, tacaño, insociable, presumido, intolerante, antipático.*

Ej.:> *Yo siempre la saludo pero ella no me dice ni hola, y nunca sonríe.*

    < *Ya la conoces, es **una antipática.***

1. > Le pedí prestados dos euros a Daniel y me dijo que no.

    < No hagas caso, es ....

2. > No me gusta hablar con él porque siempre habla de lo mismo y habla, habla, habla.

    < Sí, es ....

3. > El otro día, Álex estuvo toda la tarde diciendo cómo era su casa, que tiene un jardín de muchos metros, que la piscina es deportiva, que si tiene campo de tenis...

    < Álex siempre igual, es ....

4. > Le he pedido ayuda a Julia pero me ha dicho que no, que ella no quiere tener problemas pero que si yo la ayudo a ella con el trabajo atrasado a lo mejor puede hacer algo.

    < ¡Qué barbaridad! Desde luego, es ....

5. > Siempre que vamos a hacer algo los llamamos, pero nunca quieren venir, se quedan en casa porque quieren estar solos.

    < No os preocupéis, lo hacen con todo el mundo, son ....

6. > El jefe dice que me va a echar porque llego tarde al trabajo..., pero yo solo he llegado diez minutos tarde esta mañana.

    < No te va a echar, seguro, pero te entiendo, es ....

M I S   C O N C L U S I O N E S

11 Marque verdadero (V) o falso (F).

a. Los nombres de montañas y ríos no llevan artículo: ......
b. El artículo determinado y el indeterminado tienen los mismos usos: ......
c. Cuando hablamos de algo ya mencionado usamos el artículo determinado: ......
d. Delante de un nombre que empieza con *a* tónica va el artículo *el* o *un:* ......

12 Elija la respuesta adecuada.

1. el otro chico / otro el chico
2. un mi amigo / un amigo mío
3. un otro chico / otro chico
4. las tres gracias / tres las gracias

¡FÍJESE!

(1: 8)

> Juan ES músico pero ESTÁ de camarero.

Así se construye

(→ Unidades 2 y 4, nivel Elemental)

- **En construcciones impersonales**

  - **Es** + adjetivo (masc. sg.) + infinitivo.

    Es estupendo viajar con dinero.

    Es difícil tomar una decisión precipitadamente.

  - **Está** + bien / mal + infinitivo.

    Está bien comer sano. / **Está mal enfadarse** sin dar explicaciones.

  - **Es** + un /-a + sustantivo + infinitivo. Suele ir con nombres de valoración.

    Es una pena tener pocos amigos. Es un error / es una suerte / es una alegría…

  - En estructura enfática: lo que + ser / estar + **es** + adjetivo.

    > Juan es un poco raro, ¿no?   > No han venido. ¿Estarán enfadados?

    < ¿Raro? **Lo que es <u>es</u> tonto.**   < No, **lo que están <u>es</u> cansados.**

¡ATENCIÓN!

La estructura para dar énfasis solo se construye con el verbo **ser**, nunca con **estar**.

● **Otras construcciones**

SER	ESTAR
– **Ser** + profesión: *Es socorrista, electricista…*	– **Estar de** + profesión: *Está de socorrista / electricista…*
– **Ser** + precios y cantidades: *Son doce euros. / Es mucho / demasiado.* *Es muy poco.* – **Ser** + expresiones de tiempo: *Es pronto, es tarde, es temprano…* *Es la una / son las doce…* *Es lunes / octubre…* *Hoy es 8 de diciembre…*	– **Estar a** + precios y cantidades: *Está a doce euros. Está a 12 km.* *Estamos a 40 grados.* – **Estar** + expresiones de tiempo: ○ **Estamos a** + fecha: *Estamos a 8 de diciembre.* ○ **Estamos en** + mes, estación: *Estamos en noviembre / Estamos en otoño.*

● **Lo + ser / Lo + estar**

– El adjetivo, nombre, adverbio, pronombre o frase que van detrás de *ser* y *estar* se sustituyen por **lo** invariable y va delante del verbo.

> *Son un poco **antipáticos** en esta oficina, ¿no?*
< *Sí, sí **lo** son.*

> *¿Estás **cansado**?*
< *No, no **lo** estoy.*

Así se usa

● Para expresar opiniones o sentimientos o valorar de forma impersonal o general.

– **Es** + adjetivo (masc. sg.) + infinitivo:
  Es inútil intentar *una reconciliación.*

– **Es** + un /-a + nombre + infinitivo:
  Es una lástima tener *que marcharse ahora.*

– **Está** + bien / mal + infinitivo:
  No está bien tener *que repetir el examen.*

● **Ser** y *estar* para hablar de la profesión.
  *Las tres **somos** profesoras de español. / Ricardo es médico pero **está de socorrista** en una piscina.*

Las construcciones con **estar** para referirse a la profesión tienen un matiz de eventualidad o temporalidad.

- **Estar a** + cantidad concreta.
  - Para hablar de cantidades fluctuantes: precios, moneda, temperatura atmosférica (no corporal):

    La gasolina está a 1,20 euros el litro, pero ¿y mañana?

    Los tomates están a 4,5 euros el kilo.

    El agua está a 25 grados...

  - Con las fechas y la temperatura atmosférica se utiliza *estar a* (siempre con la persona "nosotros") + fecha / grados.

    Los pronósticos dicen que la semana que viene **estaremos a más de 40 grados**.

- **Lo** neutro.

  Para sustituir al adjetivo, nombre, adverbio, pronombre, frase... que van detrás de *ser* y *estar* cuando se han mencionado antes.

    > *¿Estás aún* **muy enfadado**?

    < *Sí, aún* **lo** *estoy.*

    > *¿Sois* **los alumnos que van a hacer el intercambio**?

    < *Sí,* **lo** *somos.*

- **Lo que** + **ser** / **estar** + **es** + adjetivo o adverbio *(bien, mal).*

  Para hacer una precisión o rectificación sobre lo mencionado anteriormente. Siempre es enfático.

    > *¿No estás cansada?*

    < *¿Cansada?* **Lo que estoy** <u>es</u> *cansadísima.*

    > *Juan es demasiado bueno.*

    < *No,* **lo que** *(Juan)* **es** <u>es</u> *tonto, no bueno.*

EJERCICIOS

Practique cómo se construye

 Elija las palabras que pueden ir con es / está... y clasifíquelas después en la casilla adecuada.

ES *normal*	ESTÁ *bien*

1. Bueno
2. Mala
3. Claro
4. Bien
5. Un error

6. Normal
7. Una lástima
8. Interesante
9. Inútil
10. Una tontería

2 Complete con la forma correcta de *ser* o *estar* y añada una preposición donde sea necesario.

1. ¿Nos vamos? Ya .... muy tarde.
2. Raquel lo que está .... nerviosa.
3. Mi hermano Luis .... de profesor de kárate en mi gimnasio.
4. Yo no .... médico, no sé qué le pasa. Vamos a urgencias ahora mismo.
5. Hoy .... miércoles, ... 4 de septiembre ya, ¡cómo pasa el tiempo!
6. El pan .... 1,50 euros. ¡Cómo han subido los precios!
7. Tú lo que eres .... un egoísta.

3 Relacione las columnas.

a. ¿Son estos tus amigos de Marruecos?
b. ¿Estás preocupado por algo?
c. Siempre eres sincero.
d. ¿Estamos en la lista de aprobados?
e. Para todo el mundo, Raúl es un líder.
f. ¿Está usted seguro de eso?

1. No, no lo soy siempre.
2. Sí, lo estoy.
3. Sí que lo son.
4. No, no lo es para todos. Para mí, no.
5. Pues no lo estoy, pero creo que es así.
6. Sí, lo estáis. ¡Enhorabuena!

Practique cómo se usa

4 Escriba las preguntas o afirmaciones para estas respuestas.

Ej.: > ¡Fíjate! **Estamos a 30 grados.**

< ¡30 grados! Demasiado calor para el mes de abril, ¿no?

1. > ....
< A 6 de agosto.

2. > ....
< ¡Esta es la semana del pollo!, a 6 euros los dos kilos.

3. > ¡..!
< No es pronto. Son ya las 7.30… Levántate, levántate que tenemos que hacer muchas cosas.

4. > ....
< No, no lo soy. Estuve de cantante un tiempo en una banda, pero en realidad soy abogada.

5. > ....
< Pues sí, es un fastidio venir el sábado a trabajar. Pero no hay otra opción.

5 **Ahora, responda a su interlocutor. Después, escuche y compruebe.**

(1: 9)

Ej.: > *¿En qué trabaja Elena?*

< *(Su profesión: arquitecta / trabaja en una peluquería)* → **Es** *arquitecta, pero ahora* **está de** *peluquera.*

1. > ¿Cuál es la fecha de hoy? No sé ni en qué día vivo.

< (hoy 12 de febrero) ....

2. > ¿Pero os vais ya?

< (la una de la mañana / muy tarde) ....

3. > ¿No tienes calor con ese abrigo tan gordo?

< (Solo 1 grado fuera) ....

4. > ¿Qué piensas del cambio de opinión de Marga?

< (Muy raro) ....

5. > Casi no hablas, estás muy serio.

< (Serio no, enfadado) ....

6 **Utilice una construcción impersonal con estas palabras teniendo en cuenta el**
(1: 10) **significado y el contexto. Después, escuche y compruebe.**

normal / claro / extraño / mal / peligroso

Ej.: > *Ya no tengo más ideas.*

< *Después de tantas horas trabajando, es* **normal,** *creo yo.*

1. > Los alumnos insultan y hablan mal a los profesores.

< Eso ....

2. > Fíjate, mi hijo tiene 15 años y ya no quiere salir con nosotros los sábados.

< Hombre, con 15 años ....

3. > Anda, tómate una copa; por una copa no pasa nada, ¿no?

< No, gracias, es que luego tengo que conducir, y beber ....

4. > ¿Te explico otra vez por qué no puedo ayudarte en esto?

< No hace falta, ...

5. > Todas las noches sueño lo mismo: con un hombre que me mira, escribe mi nombre y luego se va.

< ¡Vaya! ¿Siempre lo mismo? ¿El mismo sueño con el mismo hombre? Eso ....

1: 11)

7 **Reaccione con una de las opciones propuestas, puntualizando o rectificando con la estructura *lo que es / lo que está es...* Después, escuche y compruebe.**

Ej.: > *Carlos y Luis están un poco intranquilos últimamente.*

< *(nerviosísimos, guapos, mal vestidos)* → **Lo que están es nerviosísimos.**

1. > Habla poco y a veces habla mal a la gente, es un poco tímido.

< (simpático, rico, antipático) ....

2. > Tienes mala cara. Estás un poco cansado, ¿verdad?

< (contentísimo, agotado, orgulloso) ....

3. > Los nuevos no saben hacer nada, son unos inútiles.

< (malas personas, inexpertos, unos vagos) ...., hay que darles un poco más de tiempo.

4. > Últimamente, Rosa siempre está enfadada.

< (preocupada, normal, enfadadísima) ....: tiene muchos problemas en casa.

5. > ¿Estás contento con ese proyecto?

< (triste, emocionadísimo, mal) .... ¿Cuándo empiezo?

M I S   C O N C L U S I O N E S

8 **Responda *Sí* o *No*.**

a. ¿Podemos cambiar la segunda persona del plural por otra persona en el ejemplo *Estamos a 3 de agosto*? ......

b. ¿*Bien* y *mal* solo pueden ir con *estar*? ......

c. ¿Puede ir el verbo *estar* detrás de expresiones del tipo *Lo que estás <u>es</u> aburrido*? ......

9 **Tache la opción equivocada.**

Muchas veces expresamos tiempo con el verbo *ser / estar* (1). Una excepción a lo anterior es la expresión *Estamos a / estamos de* (2) para referirnos a una fecha.
Esto / lo (3) es el pronombre que sustituye a la(s) palabra(s) u oración que va(n) con *ser* y *estar*. Para referirnos a una profesión con un matiz de temporalidad solemos utilizar el verbo *estar solo / estar* seguido de la preposición *de* (4).

4 *No somos nadie*

LOS INDEFINIDOS

¡ FÍJESE !

(1: 12)

¿Has visto **alguna** película últimamente?

No, **no** he visto **ninguna**. Estoy deprimido. **No** me apetece hacer **nada**.

¡Hola! ¿Me ha llamado **alguien**?

No, **nadie**.

Pareces cansada.

Sí, la verdad es que estoy **un poco** cansada.

Así se construye

- **La forma** (→ Unidad 24, nivel Elemental)

Indefinidos invariables (pronombres)	Indefinidos invariables (adjetivos)			
alguien / nadie / algo / nada	cada			

Indefinidos variables (pronombres)	**Indefinidos variables (adjetivos)**			
	Masculino		**Femenino**	
	Singular	**Plural**	**Singular**	**Plural**
alguno / alguna / algunos / algunas	algún*	algunos	alguna	algunas
ninguno / ninguna	ningún*		ninguna	
todo / toda / todos / todas	todo	todos	toda	todas
varios / varias		varios		varias
otro / otra / otros / otras	otro	otros	otra	otras

* Ni~~nguno~~ libro → ningún libro. *Al~~guno~~ libro → algún libro.

● **La estructura**

– Adjetivos + nombre

> *Los noto tristes. ¿Tienen **algún problema**?*

< *No tenemos ninguno (= ningún problema), gracias.*

Cada persona *tiene su carácter y hay que respetarlo.*

– *Todo / todos / toda / todas* + determinante + nombre

*Por favor, coloca en su sitio **todos estos libros**.*

*Me fui a trabajar y no pude ver **todo el partido**.*

¡ATENCIÓN!

No podemos responder a una pregunta solamente con *cada*, porque siempre es adjetivo.

> *¿Haces gimnasia todos los días?*

< *Sí, **cada mañana**.*

> *¿Has comprado todos los libros?*

< *Sí, **todos**.*

– La negación y la doble negación:

Indefinido negativo + verbo = **No** + verbo + indefinido negativo

Nadie *me informó del cambio de hora.* = **No** *me informó **nadie** del cambio de hora.*

Ningún alumno *ha suspendido.* = **No** *ha suspendido **ningún alumno**.*

Ninguna *ventana está abierta.* = **No** *está abierta **ninguna ventana**.*

Así se usa

(→ Unidad 24, nivel Elemental)

Los indefinidos se usan para hablar de personas y cosas sin especificar identidades ni cantidades concretas.

● Para hablar de personas sin especificar de quién hablamos.

– En afirmativo: *alguien* (alguna persona) o *algún / alguna* + sustantivo referido a personas.

*¿Ha llamado **alguien**? / ¿Me ha llamado **algún compañero**?*

– En negativo: *nadie* (ninguna persona) o *ninguno / ninguna; ningún / ninguna* + sustantivo referido a personas. *Ninguno / ninguna / ningún* pueden referirse o no a una persona mencionada previamente.

> *¿Ha preguntado alguien por mí?*

< **No, no** *ha preguntado **nadie**.*

No tengo ningún alumno todavía. (No mencionado).

> *¿Ha llegado algún alumno ya?*

< *No, no ha llegado ninguno.* (Mencionado antes: "algún alumno").

- Para hablar de cosas sin especificar de qué hablamos.

  - En afirmativo: *algo* (alguna cosa).

    *¿Necesitas **algo?** ⇒ (¿Necesitas **dinero / ayuda?**)*

  - En negativo: *nada* (ninguna cosa). Puede servir para negar la palabra "algo" u otra más concreta.

    *¡Qué oscuro está todo! No veo **nada.***

    > ¿Has comprado leche?

    *< No, no he comprado **nada.** El súper estaba cerrado.*

- Para hablar de personas y cosas.

  - ALGÚN, ALGUNO, ALGUNA, ALGUNOS, ALGUNAS. Señalan uno o varios elementos de un todo.

    *> ¿Has leído **algún libro** de Isabel Allende?*

    *< Sí, he leído **algunos** y me han encantado.*

    > ¿Cuántos bombones te has comido?

    *< Bueno, **alguno.***

    *< **Alguno** no, ¡muchos! En la caja solo quedan dos.*

  - NINGÚN, NINGUNO, NINGUNA. Se refieren a un todo del que no seleccionan ningún elemento.

    > ¿Recuerda usted a sus compañeros de clase?

    *< Pues no, a **ninguno.***

  - TODO, TODA, TODOS, TODAS. Hacen referencia a todos los elementos de un conjunto.

    > ¿Te sabes alguna canción de Maná?

    *< ¡Me las sé **todas!***

  - CADA. Se refiere a todos los elementos de un conjunto (representado por el sustantivo al que acompaña), pero no visto en su totalidad, sino uno por uno.

    Cada día** tenéis que estudiar una unidad. / Hago gimnasia **cada mañana.

    ○ Tiene valor distributivo.

    *Hay que entregar un libro a **cada alumno.***

    ○ CADA UNO / UNA = individualiza los miembros del grupo del que se habla, ya sea de cosas o personas.

    ***Cada uno** es responsable de sus actos. / **Cada uno de tus libros** es un auténtico tesoro.*

  - VARIOS, VARIAS. Ni muchos ni pocos, lo usamos también para no valorar la cantidad (si es poco o mucho).

    < ¡Hala! Tienes un disco de Inti-Illimani.

    *> No es mío, es de mi madre, tiene **varios.***

– OTRO, OTRA, OTROS, OTRAS indican:

   ○ Uno más del mismo elemento.

     > *Toma un pastel.*

     < *Gracias. ¿Me das* **otro** *(pastel)? Es que me gustan mucho.*

   ○ Un elemento diferente.

     > *¿Le gusta esta cámara digital?*

     < *La pantalla es muy pequeña, ¿no tiene* **otro** *modelo?*

   ¡ATENCIÓN!

   Podemos decir *el otro / la otra…, este otro / esta otra…,* pero NO **un otro / *una otra…*

• Para matizar las valoraciones.

  – *Poco* + adjetivos de valoración positiva. Tiene valor de negación suavizada.

    Estoy poco contenta / satisfecha de este trabajo. = No estoy muy contenta / satisfecha

                                          (no me gusta mucho).

  – Verbos + *poco.* Se opone a *mucho;* por eso, expresa una cantidad que se valora como escasa, pequeña o insuficiente.

    > *¿Cómo está Jorge? /* < *Mal,* **come poco***. Está muy delgado.*

  – Verbos + *un poco / algo.* Se opone a *nada* y expresa una pequeña cantidad que se valora de forma positiva. (Más que nada).

    > *¿Cómo está Jorge? /* < *Mejor, ya* **come un poco / algo***.*

  – *Un poco / algo* + adjetivos de valoración negativa. Suaviza la fuerza de la afirmación.

    Estoy **un poco / algo** *cansado.*

EJERCICIOS

Practique **cómo se construye**

1 Relacione ambas columnas.

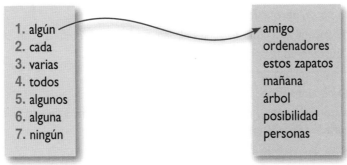

1. algún	amigo
2. cada	ordenadores
3. varias	estos zapatos
4. todos	mañana
5. algunos	árbol
6. alguna	posibilidad
7. ningún	personas

2 **Elija la respuesta adecuada.**

Ej.: *Busca la solución en <u>otra</u> / cada parte.*

1. *Nadie / nada* hasta ahora ha encontrado la fórmula de la eterna juventud.
2. *Todas / varias* las excursiones son muy interesantes, pero solo podemos ir a *otras / algunas*.
3. Debemos comer un kiwi *cada / todo* día porque aporta mucha vitamina C.
4. No puedo ayudarte, no tengo *ninguno / ningún* libro sobre este tema.
5. Mira, aquí hay *todas / otras* revistas viejas.
6. Estoy *todo / algo* cansada.
7. Ponme *un poco / alguno* más de ensalada, por favor.

3 **Transforme la frase según haya una negación o doble negación.**

Ej.: *No salió ningún estudiante anoche. → Ningún estudiante salió anoche.*

1. *Nadie* llama.

    ....

2. *Ningún* estudiante me ha dicho nada.

    ....

3. *No me lo ha dicho nadie.*

    ....

4. *Nada* me sale bien.

    ....

5. *No me vale ninguna excusa.*

    ....

4 **Subraye las opciones posibles en cada caso.**

Ej.: *Busco <u>algún</u> / cada / ningún libro sobre el tema.*

1. > Mira, ha venido Marta y ha traído *algunas / todas las / unas* manzanas de su jardín, coge alguna.

    < Seguro que están buenísimas.

2. > ¿Sabes si hay *algún / otro / cada* estudiante de Suecia?

    < Ahora no sé, pero el mes que viene sí habrá *todos / varios*.

3. > No he encontrado *otra / ninguna / alguna* camisa para combinar con esta falda.

    < ¿Has buscado en la tienda que hay aquí abajo?

4. > ¿Tienes algún libro de historia?

    < Tengo *algunos / varios / ninguno*, pero no sé cuáles.

5. > Necesito *algún / otro / alguno* pantalón negro, este no me vale y lo quiero para ir a la inauguración de una exposición.

    < ¿Quieres que te deje alguno de los míos?

Practique (cómo se usa)

5 **Complete las frases con un indefinido. A veces son posibles más de uno. Después, escuche y compruebe.**

(1: 13)

Ej.: > ¿Conoces a tus vecinos? < Conozco a **algunos / varios,** pero no a todos.

1. > ¿Has traído .... libro?

   < No, no he traído ....

2. > ¿Te gusta esta blusa?

   < Sí, pero tengo ya dos muy parecidas, ¿la hay en .... color?

3. > ¿Te has decidido ya por .... viaje?

   < Pues he visto ...., pero no me he decidido por ....

4. > ¿Has leído en el periódico el artículo sobre la relación entre el cuerpo y la mente?

   > No, pero he leído .... artículos sobre eso, me interesa mucho el tema.

5. > ¿Tienes compañeros de Italia?

   < Sí, ... son de allí.

6. > No tengo .... libro de gramática, necesito uno.

   < Yo conozco una gramática muy buena en tres niveles.

7. > ¿Te dejo esta novela?

   < ¿Me puedes dejar ....? Es que esa la tiene mi hermana.

8. > He visto ya .... revistas de muebles, pero no encuentro lo que necesito.

   < Pues ve a las tiendas y pregunta.

9. > Mercedes se ha comprado una casa.

   < ¿ ....? Pues con esta ya van tres.

10. > ¿La medalla es común para todos?

    < No, a .... jugador le dan una.

11. > Yo no estoy de acuerdo.

    < Y yo lo respeto; .... uno tiene su punto de vista.

6 **Conteste estas preguntas usando los indefinidos todo / toda / todos / todas, varios / varias y añada las palabras que crea necesarias.**

Ej.: > ¿Has leído alguna novela de Juan José Millás? < Sí, las he leído **todas.**

1. > ¿Conoces a alguien en la ciudad que quiera compartir piso?

   < Sí, a ....

-35-

2. > ¿Has comprado libros otra vez?

   < Sí, ... de Eduardo Galeano.

3. > ¿Has hecho ya la maleta o tienes problemas de espacio?

   < Sí, ya está hecha. Lo he metido ....

4. > ¿Te has leído ya los artículos para la clase de mañana?

   < Bueno, ..., pero tengo que seguir esta tarde.

5. > ¿Tienes algún disco de David Bisbal?

   < Claro, soy su fan número uno. Los tengo ....

7 **Escuche o lea las preguntas y responda con *algo, nada, alguien, nadie*.**

(1: 14)

Ej.: > ¿Me puede abrir alguien? < No hay **nadie**. Están de vacaciones.

1. > ¿Has hablado con alguien?

   < No, todavía no he hablado con ....

2. > ¿Has hecho algo interesante esta mañana?

   < La verdad es que estaba agotado y no he hecho ....

3. > Pero, Julio, ¿es que hoy no vas a trabajar nada?

   < No, y además tampoco voy a hablar con ....

4. > ¿Te puedo ayudar? ¿Buscas alguna cosa?

   < Sí, es que no me he traído ningún libro. Por favor, ¿podría dejarme .... para leer?

5. < Hola, ¿algo nuevo, abuela?

   < Hola, hija, pues sí. No me acuerdo del nombre pero te llamó ....

8 **Construya frases con los elementos relacionados en el ejercicio 1.**

1. ¿..................................... *Tienes algún amigo japonés* ....?

2. ....

3. ....

4. ....

5. ....

6. ....

7. ....

(1: 15)

9 Matice sus valoraciones usando *poco, un poco, algo* de forma adecuada al contexto. Escuche y compruebe.

1. > Estoy .... harta de repetir lo mismo cada día.

< ¿Qué quieres hacer? ¿Dejarlo todo?

2. > Hay personas con suerte: trabajan .... y ganan mucho.

< ¿Ah, sí? Pues yo no conozco a ninguna.

3. > Hoy te veo .... alegre y eso es raro en ti.

< Es que creo que me he equivocado al aceptar este trabajo.

4. > Come .... antes de irte o no aguantarás tantas horas.

< Es que ahora no tengo hambre.

5. > ¿Qué tal le quedan los zapatos?

< Me molestan ...., aquí, en el talón.

6. > ¿Por fin se quedan con el piso?

< Tenemos que pensarlo más, estamos .... convencidos.

MIS CONCLUSIONES

10 Marque verdadero (V) o falso (F).

a. Todos los adjetivos indefinidos concuerdan con el nombre en género y número: ......

b. En español es posible la doble negación (*No ha llamado nadie*): ......

c. *Alguno / alguna* se refieren a personas y cosas: ......

d. *Poco* indica la misma cantidad que *un poco*: ......

11 Subraye la respuesta adecuada.

1. No he hablado con *nada / nadie*.

2. No he comido *alguna / ninguna*.

3. He hablado con *algunos / nadie*.

5 Un amigo mío español

LOS POSESIVOS

¡ FÍJESE !

(1: 16)

- Le lavo **el** pelo.
- Me seco **el** pelo.
- NO Me seco mi pelo
- NO Le lavo su pelo
- Pero ¿qué tienes sobre la cabeza?
- **Un amigo mío** me ha dicho que las uvas son buenas para la memoria.

Así se construye

(→ Unidades 17 y 18, nivel Elemental. Los posesivos I y II)

- **La posición en relación con sustantivos referidos a personas**

DETERMINANTE		
Artículo indeterminado		*Un amigo **mío**.*
Indefinido	+ SUSTANTIVO + POSESIVO TÓNICO	*Algunos amigos **suyos**.*
Numeral		*Dos amigos **nuestros**.*

Además, toda esa estructura puede ir acompañada de adjetivos o complementos especificativos.

*Un alumno **mío** francés.* Y NO *Un alumno francés mío.*

*Un vecino **mío** de treinta años.* Y NO *Un vecino de treinta años mío.*

*Una empleada **mía** que tiene dos hijos.* Y NO *Una empleada que tiene dos hijos mía.*

¡ATENCIÓN!

Los adjetivos que hacen una valoración subjetiva del nombre necesitan un gradativo para ir con un posesivo tónico:

*Una amiga mía **muy** simpática / **bastante** simpática / simpatiquísima.*
Y NO Una amiga mía simpática.

- **La posición en relación con sustantivos no referidos a personas**

    Si **no** nos referimos a personas, el posesivo puede ir detrás del sustantivo o detrás del adjetivo.

    *Una falda verde **mía**. / Una falda **mía** verde.*

Así se usa

Los posesivos antepuestos

- Cuando el pronombre de OI (objeto indirecto) ya indica el poseedor, no aparece el posesivo en los siguientes casos (→ Unidad 10, nivel Elemental):

    – Para referirnos **a partes del cuerpo**, con verbos como *doler, romper, cortarse, picar, depilarse, caerse...*

        ***Me** duele el estómago (a mí me duele, se sobreentiende que es mi estómago).*
        ***Se** ha roto la pierna bajando del autobús.*
        ***Me** pican los ojos por la alergia.*
        *¡**Te** has depilado las cejas!*
        *NO **Me** duele ̶m̶i̶ estómago. / **Se** ha roto ̶s̶u̶ pierna...*

    – Para referirnos **a prendas de vestir y a objetos que llevamos** con verbos como *mojar, romper, mancharse, quitarse, ponerse...* No se suele usar el posesivo si no es para enfatizar:

        ***Me** he manchado el bolso con aceite (no suele decirse Me he manchado mi bolso).*
        ***Me** pongo el pijama en cuanto llego a casa.*

    – Con algunas expresiones como *hacer la cama, hacer la comida, limpiar los zapatos, arreglar la ropa,* etc.

        ***Me** hago la cama todas las mañanas (= hago mi cama).*
        *Nunca **te** limpias los zapatos (= nunca limpias tus zapatos).*

¡ATENCIÓN!

Con expresiones como *cortarse el pelo, hacerse un traje...*, el pronombre no siempre indica quién realiza en realidad la acción, sino quién experimenta el resultado:

Me he cortado el pelo (yo no me lo he cortado, me lo ha cortado el peluquero).
Me he arreglado la falda (yo no me la he arreglado, me la ha arreglado una modista).

Los posesivos pospuestos

- Los posesivos van detrás del nombre cuando **no** queremos especificar exactamente a qué nombre nos referimos. Expresamos solamente pertenencia a una clase (→ Unidad 2).

    Un **compañero mío** me lo ha dicho (una persona que pertenece al grupo de mis compañeros).

    Algunos **artículos míos** son un poco difíciles de leer (los artículos a los que me refiero pertenecen al grupo de los artículos que yo he escrito).

    Tres **camisetas mías** llevan tu nombre (las tres camisetas a las que me refiero pertenecen al grupo de las que yo tengo).

Contraste

En cambio, el posesivo antepuesto indica un nombre concreto, conocido y específico.

    Mi compañero me lo ha dicho. / Un compañero **mío** me lo ha dicho.

- Los posesivos pospuestos no presuponen que el interlocutor conozca de qué o quién estamos hablando:

    < Esta película es malísima, mejor no verla.

    > Un amigo **mío** me ha dicho lo mismo (no hemos hablado antes de él).

    < Pues ese amigo **tuyo** tiene toda la razón (muestra que no conoce al amigo mencionado).

Contraste

Con los posesivos antepuestos se presupone la mención previa o el conocimiento compartido. Si no es así, es necesario pedir una aclaración.

    > Esta película es malísima, mejor no verla.

    < **Mi** amigo me ha dicho lo mismo.

    > ¿Qué amigo? (pide una aclaración).

EJERCICIOS

Practique cómo se construye

 1 **¿De quién es el nombre subrayado? Fíjese en el ejemplo.**

Ej.: Me duele el estómago → mío.

1. Me molestan los ojos → ......

2. Carlos se ha roto un brazo → ......

3. ¿Os habéis lavado las manos? → ......

4. Anda, los dos nos hemos cortado <u>el pelo</u> → ......

5. ¿Te hago <u>la cama</u>? → ......

6. Nos curaron <u>las heridas</u> → ......

7. Se le han caído <u>las gafas</u> → ......

2 **Escriba el posesivo correcto según el ejemplo. Escuche y compruebe.**

(1: 17)

Ej.: *(Yo) una hermana→ Una hermana mía.*

1. (Yo) tres amigas → ....

2. (Nosotros) un conocido → ....

3. (Usted) algunas propuestas → ....

4. (Tú) ciertas ideas → ....

5. (Vosotros) varios mensajes → ....

6. (Ellos) dos representantes → ....

3 **Ordene las frases.**

Ej.: amigo / un / inglés / mío → *Un amigo mío inglés.*

1. hermano / que vive en Túnez / Un / mío → ....

2. profesores / nuestros / Algunos / del colegio → ....

3. Tres / tuyos / artículos / de filosofía → ....

4. vecinas / suyas / alemanas / Unas → ....

5. novio / Un / mío / de cuando yo era joven → ....

6. Una / suya / tía / extranjera → ....

4 **Añada *muy, bastante* o el superlativo *-ísimo /-a /-os /-as* donde sea necesario.**

Ej.: *Una vecina mía pesada → Una vecina mía **muy** pesada / Una vecina mía **bastante** pesada / Una vecina mía **pesadísima.***

1. Una compañera mía francesa → ....

2. Un profesor mío duro → ....

3. Una amiga tuya rubia → ....

4. Dos empleados míos trabajadores → ....

5. Una hermana suya elegante → ....

6. Tres sobrinos vuestros graciosos → ....

Practique cómo se usa

5 Responda las preguntas.

Ej.: > *¿No haces nada en la casa?*
   < *(Tu propia cama)* **Sí, me hago la cama.**

1. ¿Te encuentras mal? Tienes ojeras.

   (Dolor de cabeza) ....

2. ¿Qué le ha pasado a Lucas? Hace tiempo que no lo veo.

   (Quemar la mano con un motor) ....

3. ¿No estás mejor? Todavía tienes mala cara.

   (Molestias de estómago) ....

4. ¿Comes fuera todos los días?

   (Hacer tu propia comida en casa) ....

5. Sara hoy está diferente. La veo muy moderna; seguro que sale con alguien.

   (Corte de pelo) ....

(1: 18)

6 Utilice las formas antepuestas y pospuestas de los posesivos según el contexto. Fíjese en el orden de los elementos propuestos. Después, escuche y compruebe.

Ej.: > *¿Quién es ese chico?*
   < *¡Ah! (alumno inglés)* **un alumno mío inglés** *de la academia en la que doy clases.*

1. > Esta novela es muy interesante.

   < ¿Sí? ¿La has leído?

   > No, pero (amigo) .... me la ha recomendado.

2. > ¿Alguien sabe desatascar el lavabo?

   < Yo no tengo ni idea, pero si quieres se lo digo a (hermano Enrique) ....,
   que es fontanero.

3. > Estos dulces están buenísimos, pero no son de aquí, ¿verdad?

   < No, nos los ha traído (amiga española de mi madre y mía) ....
   .... que vive en Florencia.

4. > ¿Mi madre te ha enviado la invitación a la inauguración?

   < Sí, (madre) .... Me hizo mucha gracia cuando vi que era ella.

5. > ¿Ha llamado alguien por teléfono?

   < Sí, ha llamado (compañera del trabajo) ...., no ha dicho el
   nombre, te llamará dentro de una hora.

7 Complete el diálogo y ponga *muy* delante de los adjetivos que lo necesiten.

> ¿Quién es esa mujer tan elegante?

< ¡Ah!, nadie importante. Es (conocida de usted) ...*una conocida mía*.... de hace varios años.

> ¿Y de qué la conoces?

< De una fiesta de Nochevieja que organizó (amiga de usted simpática) ....
....

> ¿Cómo se llama?

< Paula, creo, o Carla..., o algo así.

> ¿Tu amiga o esa señora?

< Esa señora; (amiga de usted) .... se llama Celia.

> ¿Y cómo conociste a Celia?

< En casa de (otra amiga de usted arquitecta) ....

> ¿Celia es arquitecta?

< Síiiiii, como Luis, como Fede, como Richard, como yo... Oye, (algunas preguntas)
.... parecen un examen.

> Perdona, solo era curiosidad. Es que es una mujer tan atractiva...

< ¿Quién, Paula o Celia?

M I S   C O N C L U S I O N E S

8 Tache la opción incorrecta.

1. a. Me lavo mis manos.
   b. Me lavo las manos.

2. a. Un sobrino suyo.
   b. Un suyo sobrino.

3. a. Un amigo artista mío.
   b. Un amigo mío artista.

9 Marque la opción adecuada.

1. Ponemos el pronombre posesivo detrás del nombre cuando:
   a. Nos referimos a un nombre específico.
   b. Nos referimos a uno sin determinar.

2. En expresiones como *Me he cortado el pelo*:
   a. Yo mismo me he cortado el pelo.
   b. Me ha podido cortar el pelo otra persona (por ejemplo, el peluquero).

Lo interesante es comprar barato

SUSTANTIVACIÓN Y APÓCOPE DEL ADJETIVO

¡ FÍJESE !

(1: 19)

A: ¿Te gusta este vestido corto?

B: Sí, pero me gusta más **el largo**, es muy elegante.

A: ¿Y en color blanco o rojo?

B: Me gusta más **el blanco**, pero **el rojo** es más sexy.

A: Pues entonces **lo** más **práctico** es que me lleve los dos.

Así se construye

Sustantivación

- Un adjetivo se convierte en sustantivo si aparece acompañado de un determinante (artículos, demostrativos y cualquier indefinido):

  > ¿Te gusta esta corbata verde? < Sí, pero me gusta más **la roja.**

  > Estoy buscando un jersey. < ¿Quiere probarse **este blanco**?

  – Un adjetivo puede convertirse en un <u>sustantivo abstracto</u> si aparece acompañado del artículo neutro **lo**:

  Lo inteligente es actuar con precaución.

  Difícil → lo difícil. Oscuro → lo oscuro. **¡OJO!** lo ~~difíciles~~, lo ~~oscura~~, lo ~~oscuras~~.

Apócope del adjetivo

- Algunos adjetivos pierden una vocal o sílaba final si van delante del nombre en singular. Es el caso de los adjetivos *bueno, malo y grande.*

  *Un **buen** libro. / Un libro bueno. / Un **mal** recuerdo. / Un recuerdo malo.*

  *Un **gran** castillo. / Un castillo grande.*

  – El adjetivo *grande* pierde la sílaba final *-de* tanto si el nombre es masculino como si es femenino.

  *Un **gran** problema. / Una **gran** persona.*

  – *Bueno* y *malo* solo pierden la vocal final si el adjetivo es masculino singular.

  *Un **buen** amigo. PERO Una buena amiga. / Dos buenos amigos.*

  *Un **mal** amigo. PERO Una mala amiga.*

Así se usa

1. Sustantivación con determinantes

- Un adjetivo se convierte en un <u>sustantivo concreto</u> cuando sabemos a qué objeto nos referimos.

    > *Hay una falda roja y **otra verde**...*

    < *¿Puedo ver **la** (falda) **roja**, por favor?*

- Un adjetivo se convierte en <u>un sustantivo sin referencia específica</u>, con valor de generalización, cuando nos referimos a algo en general.

    ***Los** (seres humanos) **inteligentes**, **no los guapos**, tienen más oportunidades en la vida.*

    En este caso, siempre se construyen en plural.

2. Sustantivación con LO

- El artículo neutro ***lo*** proporciona un <u>valor abstracto</u> a los adjetivos que sustantiva.

    ***Lo inteligente** es observar antes de actuar.*

    *A mí todo **lo amarillo** me da mala suerte.*

    PERO también nos podemos referir a una parte de un todo.

    *Pinta solo **lo negro** → la parte negra.*

    *Analice **lo subrayado** → las palabras subrayadas.*

3. Apócope del adjetivo

Los adjetivos *grande, bueno, malo* pueden ir delante del sustantivo para dar énfasis.

    > *¿Sigues con el régimen?*

    < *Pues sí, pero lo paso fatal; no hay nada como un **buen** helado de nata.*

    > *Hoy Santiago se ha ocupado de todo en casa.*

    < *Es un **gran** chico.*

EJERCICIOS

Practique *cómo se construye*

1 **Convierta los adjetivos en sustantivos concretos usando el artículo adecuado.**

Ej.: *inteligentes → los / las inteligentes.*

1. alta ....
2. pesados ....
3. verde ....

4. rubio ....
5. larga ....
6. anchos ....

2 Subraye el sustantivo y escriba de nuevo el enunciado con el adjetivo sustantivado.

Ej.: *Las faldas cortas no me gustan.* → ***Las cortas** no me gustan.*

1. Los compañeros nuevos no han llegado todavía. ....
2. La habitación más luminosa es esta. ....
3. Los perros grandes me dan miedo. ....
4. Han robado el cuadro falso. ....
5. Hay que guardar toda esta ropa nueva. ....
6. Prefiero estos zapatos negros; no me gusta el marrón. ....
7. Utiliza el papel blanco para las cartas. ....

3 Convierta estos adjetivos en sustantivos referidos a una idea usando *lo*.

Ej.: *absurdas* → *lo absurdo.*

1. Interesantes ....
2. Sencillas ....
3. Fácil ....
4. Complicados ....
5. Preocupante ....
6. Naturales..

4 Coloque el adjetivo delante y haga los cambios necesarios. Después, escuche y compruebe.

(1: 20)

Ej.: *Es un hombre bueno.* → *Es un buen hombre.*

1. Las cosas pequeñas pueden cambiar el mundo. ....
2. Un amigo malo es peor que un enemigo bueno. ....
3. Tengo una noticia importante para ti. ....
4. Tiene una ilusión grande en ese viaje. ....
5. He hecho un examen malo de lengua escrita. ....
6. Es una propuesta interesante. ....

Practique cómo se usa

5 Complete los diálogos con un adjetivo sustantivado.

Ej.: > *¿Cuál quieres? ¿El grande o el pequeño?* < *El pequeño, gracias.*

1. > ¿Qué prefieres, la comida italiana o la española?
   < ....
   > De acuerdo, entonces, espaguetis a la boloñesa para cenar.
2. > Este verano lee algo. Elige entre un libro breve y difícil y otro largo y fácil.
   < ....

3. > Con este vestido, ¿me van mejor estos pendientes azules o estos verdes?

< ....

\# Pues a mí me gustan más los azules.

4. > ¿Estos son los modelos nuevos o los viejos?

< ....

< Y entonces... ¿dónde están los nuevos?

5. > ¿Quién es tu hermano? ¿El chico alto y rubio? ¿El más bajito? ¿O es el chico moreno?

< ....

> Vaya, es alto y moreno como tú.

6. > ¡Una foto de hace 15 años! ¿Y quién eres tú? ¿La niña gordita o la niña pelirroja?

< ....

> ¡Pues cómo has cambiado! Porque ahora tienes el pelo muy oscuro.

6 Complete con *lo, el / los* o *la / las*. Después, escuche y compruebe.

(1: 21)

Ej.: < ¿*Qué color te gusta más?* > ***El*** *verde.*

1. > Estoy muy cansado.

< .... mejor para el cansancio es dormir y comer bien.

2. > ¿Quién quieres que gane el mundial de fútbol?

< No sé, creo que tiene que ganar .... mejor.

3. > Entre todas estas fotografías .... importante es la primera.

< .... importante es encontrar fotografías claras del caso.

4. Pinté solamente .... sucio, no la pared entera.

5. Lavé solamente .... sucio, el otro jersey estaba limpio, ¿no?

6. Esos son los yogures de fresa, ... naturales están debajo.

7 Escriba el adjetivo adecuado: *buen (-o/-a/-os/-as), mal (-o/-a/-os/-as), gran(-de/-s).*

1. Es una .... decisión, tienes que pensarlo mucho.

2. Un .... amigo no hace eso, ya no confío en él.

3. Fumar mucho no es una .... manera de relajarse.

4. ¡.................. idea! Ahora mismo voy a hacer lo que me dices.

5. Tengo muy .... recuerdos de ese viaje, no pienso volver a ese lugar nunca más.

6. Los .... problemas de la sociedad actual son la pobreza y la falta de ideales.

M I S   C O N C L U S I O N E S

8 Marque verdadero (V) o falso (F).

a. Cuando sustantivamos con *lo* cambia el número, pero no el género: ......

b. Los adjetivos con *el, la, los, las* se refieren a un objeto concreto: ......

c. Cuando *bueno* o *malo* van delante, siempre pierden la vocal final: ......

LOS COMPARATIVOS

¡ FÍJESE!

(1: 22)

Este coche es **el mejor del** mercado.

¿Es muy seguro?

Sí, **segurísimo.**

65 000 €

OCASIÓN

Sí, pero es **el más caro de** todos.

20 000 €

12 000 €

Así se construye

(→ Unidad 31, nivel Elemental)

- **Comparativos de superioridad irregulares**

  Bueno: más bueno → **mejor**   Grande: más grande → **mayor**

  Malo: más malo → **peor**   Pequeño: más pequeño → **menor**

- **Comparativos de cantidad**

  – Verbo + *más / menos* + de + cantidad:

    *Tiene **más de** 20 años.*

    *Aquí hay **menos de** cien personas.*

  – **No** (verbo) + *más / menos* + de + cantidad:

    *Esto **no** vale **más de** 50 euros.*

    *Aquí **no** hay **menos de** cien personas.*

  – **No** (verbo) + más + que + cantidad:

    *Juan **no** tiene **más que** 15 años.*

- **El superlativo absoluto**

  Se forma añadiendo **-ísimo** a los adverbios e **-ísimo, -ísima, -ísimos, -ísimas** a los adjetivos.

  – Cuando la palabra acaba en vocal, se quita la vocal y se añade **-ísimo:**

    *guapo → guap**ísimo** / alta → alt**ísima** / pronto → pront**ísimo***

– Cuando acaba en consonante se añade directamente **-ísimo** (excepto *lejos*, que hace *lejísimos*):

difícil → *dificilísimo*

– Cuando termina en **-ble**, se intercala una *i* entre *b* y *l* (-bil-):

amable → *amabilísimo*

– A veces hay cambios ortográficos:

cerca → *cerquísima* / *poco* → *poquísimo* / *feliz* → *felicísimo*

– Algunos adjetivos intercalan una consonante:

joven → *jovencísimo*

• **El superlativo relativo**

$$\left.\begin{array}{l} \text{El} \\ \text{La} \\ \text{Los} \\ \text{Las} \end{array}\right\} \left.\begin{array}{l} \text{más} \\ \\ \text{menos} \end{array}\right\} + \text{adjetivo} + \textbf{de} + \text{sustantivo}$$

*Pilar es la más lista **de** la clase.*
*Mi vecina es la menos discreta **del** mundo.*

Así se usa

• **Comparativos de superioridad irregulares**

Mayor y *menor* también se usan para referirse a la edad de las personas.

*Tengo **un hermano mayor** y **dos hermanas menores** que yo.*

*Hoy en día muchas **personas mayores** se sienten muy solas.*

• **Comparativos de cantidad**

– Con **más / menos de** establecemos una cantidad máxima o mínima que ya está fuera de nuestros cálculos.

*Tiene **más de** 20 años. / Tiene **menos de** 20 años.*

– Con **no más / menos de** establecemos una cantidad máxima o mínima incluida en nuestros cálculos.

***No** tiene **más de** 20 años (puede tener 16, 17, pero no 21).*

***No** tiene **menos de** 20 años (puede tener 24, 23, pero no 19).*

– Con **no** (verbo) **más que** + cantidad expresamos que solo es posible esa cantidad.

***No** tiene **más que** 20 años (solo tiene 20 años).*

• **El superlativo absoluto.** Se usa para expresar el grado más alto dentro de una escala comúnmente aceptada.

*Eres **la mejor**. / Eres **jovencísima**.*

• **El superlativo relativo.** Establecemos la máxima cualidad dentro de un grupo.

*Rocío es **la más joven de nuestra empresa**.*

EJERCICIOS

Practique cómo se construye

1 **Escriba el adjetivo o adverbio de estos superlativos.**

Ej.: *Muchísimas: muchas.*

1. Pequeñísimo: ....
2. Amabilísima: ....
3. Buenísimas: ....
4. Simpatiquísima: ....
5. Inteligentísima: ....

6. Jovencísima: ....
7. Viejísimo: ....
8. Lejísimos: ....
9. Divertidísimo: ....
10. Grandísimos: ....

2 **Escuche y escriba el superlativo de estos adjetivos y adverbios.**

(1: 23)

Ej.: *Temprano: tempranísimo.*

1. Rico: ....
2. Malo: ....
3. Guapa: ....
4. Caro: ....
5. Pronto: ....

6. Grande: ....
7. Altas: ....
8. Tarde: ....
9. Barata: ....
10. Blanco: ....

3 **Complete con el comparativo o superlativo adecuados de estos adjetivos.**

| difícil | grande | amable | culto | buena |

1. Esta es la ......*mayor*........ de las habitaciones; las demás son muy pequeñas.
2. El examen de español era .... No he sabido responder las preguntas.
3. Es la .... película que he visto en mi vida. ¡Qué buena es!
4. Aurelia es ...., sabe de todo.
5. Compro en esta tienda porque son .... ¡Siempre tienen una sonrisa!

4 **Relacione.**

1. Es la más inteligente
2. No cumple
3. ¡Qué aburrimiento! Es la peor
4. Cuesta
5. En casa compramos

a. más que 12 años.
b. más de 12 euros.
c. de la clase.
d. más de una vez a la semana.
e. obra de teatro que he visto en mi vida.

Practique (cómo se usa)

5 Complete estos diálogos con un superlativo relativo.

1. > Carlos siempre está contando chistes.
   < Sí, la verdad es que es ...*el más simpático de la clase*.... *(simpático / clase).*
2. > ¡Qué calor! Me voy a derretir.
   < Sí. He leído en el periódico que hoy va a ser el día .... *(caluroso / año).*
3. > Sabes quién es Bill Gates, ¿no?
   < Sí, el hombre .... *(rico / mundo).*
   > No, no es el más rico, es uno de los más ricos.
4. > Estoy muy contenta con mis vecinos. Son los vecinos .... que he tenido en mi vida *(agradable).*
   < ¡Qué suerte! Mis vecinos de arriba son los .... *(ruidosos / edificio).*

6 Complete con comparativos y superlativos de estos adjetivos. Escuche y compruebe.

(1: 24)

> pequeño / poblada / bueno / malo / grande

1. Hemos ganado el mundial de fútbol. ....*¡¡Somos los mejores!!*.........
2. A esa edad hay que proteger mucho a los ...., pues es cuando se está formando su carácter.
3. En esta ciudad viven nueve millones de personas. Es una zona ....
4. Soy el .... de todos mis hermanos.
5. Quedarse sin trabajo no es lo .... que te pueda pasar.

7 Relacione la frase con su significado.

1. Tiene más de 40 años.   a. Solo tiene 40 años.
2. No tiene más que 40 años.   b. Como mínimo tiene 40 años.
3. No tiene más de 15 euros.   c. Como mucho tiene 15 euros.
4. Esta ciudad tiene más de 3 aeropuertos.   d. Solo tiene 15 euros.
5. No tiene más que 15 euros.   e. Tiene cuatro, cinco o más aeropuertos.

M I S   C O N C L U S I O N E S

8 Marque verdadero (V) o falso (F).

a. Todos los superlativos siempre terminan en *-ísimo:* ......
b. Se puede decir *El más simpático en mis amigos:* ......
c. *No más que* expresa *solamente:* ......
d. *No tiene más que un reloj* significa que tiene más de un reloj: ......

FÍJESE!

(1: 25)

A los niños **los** recoges tú.

Pues a tu madre **le** haces la compra tú.

Tensión... tiene poca, doctor.

Así se construye

(→ Unidades 28 y 30, nivel Elemental)

Los pronombres de OI (objeto indirecto) son ME, TE, LE (SE), NOS, OS, LES (SE).

Los pronombres de OD (objeto directo) son ME, TE, LO / LE, LA, NOS, OS, LOS, LAS.

• **La posición**

Los pronombres de objeto directo e indirecto suelen ir delante del verbo. Con el imperativo afirmativo van unidos a la forma verbal en una sola palabra. Con el infinitivo y el gerundio pueden ir delante del verbo principal, o pospuestos al infinitivo o al gerundio formando una sola palabra.

> **Te** envié por correo el contrato. ¿**Lo** has recibido? (…)

¡¿Que no **lo** encuentras?! **Búsca<u>lo</u>** ahora mismo, ¡era el original!

< ¡Uf! Tranquilo, **lo** acabo de encontrar / acabo de **encontrar<u>lo</u>.**

Ahora **lo** estoy leyendo / estoy **leyéndo<u>lo</u>** con calma y luego te contesto.

> **Le** he comprado un reloj a mi padre por su cumpleaños.

< Da**le** recuerdos de mi parte.

- **Restricciones en la posición del OD**

El pronombre de objeto directo **siempre** va detrás del infinitivo si en el grupo **verbo + infinitivo** el primer verbo no forma perífrasis con el infinitivo, no es un verbo auxiliar o no es un verbo modal, como *poder, querer* y *deber*. Compare ambos cuadros:

Con auxiliar (perífrasis o verbo modal)	Con otros verbos
Podemos hacer**lo**. / **Lo** podemos hacer.	**Parece** saber**lo** todo. / *Lo parece saber todo.
Tienes que ver**la**. / **La** tienes que ver.	
Voy a duchar**me**. / **Me** voy a duchar.	**Olvidé** traer**la**. / *La olvidé traer.
Mañana **empezamos a** imprimir**lo**. / Mañana **lo empezamos a** imprimir.	**Aceptamos** firmar**lo**. / *Lo aceptamos firmar.
Quiero ayudar**los**. / **Los** quiero ayudar.	**Conviene** guardar**las** en la nevera. / *Las conviene guardar.
Deberías relajar**te** un poco. / **Te** deberías relajar un poco.	**Siento** decir**lo** ahora. / *Lo siento decir ahora.
Intenté decir**lo**. / **Lo** intenté decir.	**Necesitas** relajar**te**. / *Te necesitas relajar.
¡ATENCIÓN!	**Prometo** decir**lo**. / *Lo prometo decir.
Con la perífrasis *hay que* + infinitivo el pronombre siempre va detrás del infinitivo.	**Me gusta** ver**lo**. / *Me lo gusta ver.
Hay que pensar**lo** bien antes de actuar. / *Lo hay que pensar bien…	

- **Orden de aparición de complementos y pronombres**

  – Si el complemento directo especificado va delante del verbo, es obligatorio repetirlo con un pronombre.

    El portátil **lo** uso únicamente en casa. / **Esta** carne no **la** eches a la sartén.

    A Hanna y **a Néstor los** vi ayer por la noche en la discoteca.

  PERO si el OD no lleva determinante, no se repite mediante pronombre.

    Carne ~~la~~ como muy poca. → **Carne** como muy poca.

    Libros de alemán no ~~los~~ tengo. → **Libros de alemán** no tengo.

  – Si el complemento indirecto va delante del verbo, es obligatorio repetirlo con un pronombre.

    A los niños les envío los regalos ya, a vosotros, más tarde, ¿os parece bien?

    A Pablo le he hecho verdura; a Isa, pescado; a **María** no **le** he puesto papas…

– Si el complemento indirecto va detrás del verbo, la repetición es optativa.

*Envío ya los regalos **a los niños.** / **Les** envío ya los regalos **a los niños.***

- **Orden de aparición cuando coinciden varios pronombres**

– Pronombre de objeto indirecto + pronombre de objeto directo.

> *¿Te gusta ese pañuelo? ¡**Te lo** compro!*

< *¿**Me lo** compras de verdad? Muchas gracias.*

> *¿Le diste a Leonor mi recado?*

< *No, todavía no, **se lo** daré esta tarde.*

– El pronombre **se** de verbos como *olvidar**se** de, caer**se**, escapar**se**...* siempre va delante de los pronombres átonos de objeto indirecto.

***Se me** olvidaron las llaves. / *Me se olvidaron las llaves.*

*Perdona, **se te** ha caído este papel. / *Te se ha caído este papel.*

***Se les** escaparon los perros. / *Les se escaparon los perros.*

- **Dos complementos, dos pronombres**

– Si el verbo exige dos complementos y lleva un pronombre de OD, el OI también tiene que ser un pronombre.

*Di el recado a Juan. NO Lo di a Juan. → **Se lo** di a Juan.*

*Regalé unas flores a mis amigos. NO Las regalé a mis amigos. → **Se las** regalé a mis amigos.*

Así se usa

- Se anteponen los complementos y se repiten con los pronombres para seleccionar un elemento dentro de un conjunto, o para establecer contrastes.

*¡Qué rabia! ¡No tengo aquí **todos los libros que necesito!** Los de Lengua los tengo en casa y **los de Didáctica los** tengo en la universidad (selección dentro de un grupo).*

> *¿Tienen té de Ceilán?*

< *No, lo siento. Es que **ese té** (y no otro) **lo** pide mucho la gente.*

- El pronombre neutro **lo** también se usa para sustituir una frase en función de OD.

    > ¿Sabes **que nos han concedido la subvención**?

    > Sí, **lo** sé, me lo contó Teresa.

    < **Va a seguir lloviendo una semana más.**

    > **Lo** oí por la radio, a ver si es verdad.

¡ATENCIÓN!

- También el pronombre neutro **lo** se usa para sustituir a los sustantivos, adjetivos o adverbios que van detrás de ser y estar (→ Unidad 3).

    > ¿Cómo está Santi?

    < Está **mejor**.

    > Pero ¿**lo está** de verdad o solo **lo parece**?

EJERCICIOS

Practique cómo se construye

1 **Ordene adecuadamente las frases.**

Ej.: La / comprar / puedo → La puedo comprar. / Puedo comprarla.

Parece / todo / tener / lo → Parece tenerlo todo.

1. tenemos / la / que / terminar → ....
2. los / necesitan / más / ablandar → ....
3. olvidó / la / cerrar → ....
4. cuanto antes / hablar / conviene / lo → ....
5. lo / sentimos / contar / se → ....
6. hacer / nos prometió / los → ....
7. voy / limpiar / a / la → ....
8. quiero / no / me / marchar → ....
9. llamar / hay que / la → ....
10. no / todavía / hemos empezado / a / los / corregir → ....

2 **Repita el objeto directo con un pronombre cuando sea necesario.**

Ej.: *Los libros **los** tiene Juan.*

1. Cerveza ya no .... tomo, me hincha.

2. A las profesoras de español .... conocí en Colombia.

3. Este bocadillo .... he hecho con lechuga y este otro con pepinillos.

4. .... tenemos que comprar las entradas ya, hoy es el día del estreno.

5. El enigma de la Esfinge .... resolvió Edipo.

6. Compra pan y leche, por favor. ¡Ah, no! Pan no .... compres, queda de ayer.

7. ¡Qué cabeza! Tus llaves .... encontré en un armario de la cocina.

8. En Colombia .... conocí a varias profesoras de español.

9. La música para la fiesta .... traemos nosotros.

10. Nosotros .... traemos los adornos para el árbol de Navidad.

3 **Señale la opción correcta. Atención: pueden ser correctas las dos.**

Ej.: a. *A Juan no le he traído nada.*

b. *A Juan no he traído nada.*

1. a. No le he comprado el ordenador a mi hija.

b. No le he comprado el ordenador.

2. a. A los alumnos envié un wasap.

b. A los alumnos les envié un wasap.

3. a. A ti te lo he dicho, no a Rodolfo.

b. Te lo he dicho a ti, no a Rodolfo.

4. a. A esa gente no le preguntes su opinión.

b. A esa gente no le preguntes.

5. a. No les he explicado a mis alumnos ese tema.

b. A mis alumnos no he explicado ese tema.

6. a. A mí no me digas nada, yo no he sido.

b. No me digas nada a mí, yo no he sido.

4 **Complete con los pronombres necesarios según lo subrayado.**

Ej.: *¿Dónde están las llaves? Se **las** di a Ana.*

1. ¿Tiene Juan el número de móvil? Sí, yo ...... lo di el otro día.

2. ¿Le regalaste por fin aquel disco a tu madre? No, porque ...... lo había regalado mi padre.

3. ¿Tiene <u>tu hermano</u> los dibujos? Sí, ... los he dado yo.

4. ¿Querías preguntarme <u>algo</u>? No te preocupes, ya se ...... he preguntado a Luis.

5. ¿<u>Cuántos años tiene Julia</u>? No sé, pregúntase ...... a ella.

6. ¿Y <u>vuestros exámenes</u>? Se ...... entregamos ayer al profesor.

7. ¿Dónde pongo <u>los libros</u>? Pon ...... en la estantería, por favor.

8. ¿Le has comprado ya <u>el regalo</u> a tu hermano? Sí, ya se ...... he comprado, no te preocupes.

9. ¿Les has contado <u>que se ha suspendido la fiesta</u>? Sí, se ...... he contado y no les ha gustado nada.

Practique cómo se usa

5 **Complete con *le* o *se*. Después, escuche y compruebe.**

(1: 26)

1. > ¿..**Le**.. has dicho a Luis que tiene que levantar ...... mañana a las ocho?

   < Sí, ya ...... lo he dicho.

2. > ¿Qué ...... pasa? ¿Por qué tiene esa cara?

   < Es que ...... duelen los pies.

3. > ¿...... cortas las uñas al abuelo?

   < Sí, sí, ... las corto una vez al mes.

4. > ¡Mira! ...... he comprado a Rolf el libro que tanto ...... gustaba.

   < Pero si ...... lo compró ayer.

5. > María no se acuerda de la hora de la reunión.

   < Pues ayer mismo ...... recordé que era a la una.

6 **Identifique a quién se refiere cada pronombre y tenga en cuenta el sentido del enunciado.**

la carpeta	a mis alumnas	los pantalones	el rotulador

a Julián	a los policías	al niño

el arte del siglo XIII	a Ana	el correo electrónico

1. La he puesto encima de la mesa. → .... *la carpeta* ....

2. Les conté todo lo que sabía. → ....

3. Lo he guardado en el cajón. → ....

4. Los he metido en el armario. → ....

5. Las recibí en el despacho. → ....

6. Le compré un caballito de madera. → ....

7. Lo saludé a la entrada de la facultad. → ....

8. Lo estudié en el colegio. → ....

9. Me la encontré en Granada. → ....

10. Lo he enviado esta mañana. → ....

7 **Escriba las instrucciones que deja a sus compañeros de piso uno de ellos al que le gusta dar órdenes y, además, es muy meticuloso.**

Ej.: *Los cacharros: fregar después de comer.* → *Los cacharros **fregadlos** después de comer.*

1. La cama: hacer antes de salir de casa. → ....

2. La habitación: ordenar después de hacer la cama. → ....

3. La lavadora: poner antes de limpiar el polvo. → ....

4. La ropa: tender y estirar bien. → ....

5. La comida: preparar entre todos. → ....

8 **Conteste con el pronombre o los pronombres adecuados. Escuche y compruebe.**

(1: 27)

Ej.: > *¿Le diste los ejercicios a Inés?*

   < *(No, a Susana)* → *No, **se los** di a Susana.*

1. > ¿Estás muy cansado?

   < Sí, ... estoy, y mucho.

2. > ¿Quién quiere todas estas cosas?

   < (Los discos, yo) ....

3. > ¿A quién le has dado los apuntes?

   < (A Pedro, esta mañana) ....

4. > ¿Qué te parece este vestido? ¿Me lo pongo para el cumpleaños del sábado?

   < Sí, ..., te queda muy bien.

5. > ¡Qué pendientes más bonitos!

   < (Regalar, mi hermana) ....

6. > Al final, ¿a quién le has dicho que no hay examen mañana?

   < (Decir, a todo el mundo) ....

7. > ¿Sabes que han organizado un viaje a Galicia?

   < (Sí, Alejandra llamar y decir) ....

M I S   C O N C L U S I O N E S

9 **Marque verdadero (V) o falso (F).**

a. El objeto directo se repite siempre cuando va delante del verbo: ......

b. *SE* equivale a *LE* y a *LES:* ......

c. En las construcciones con dos verbos, los pronombres siempre van delante del verbo conjugado o detrás del infinitivo: ......

d. *LO* puede referirse a una frase en función de objeto directo: ......

10 **Elija la respuesta adecuada. Pueden ser las dos.**

1. ¿Te apetece probarlo? / ¿Te lo apetece probar?

2. ¿Quieres probártelo? / ¿Te lo quieres probar?

3. Intenté hacerlo. / Lo intenté hacer.

4. Conviene pensarlo. / Lo conviene pensar.

5. Siento decirlo. / Lo siento decir.

¡FÍJESE!

(1: 28)

SE ALQUILAN BICICLETAS

SE VENDE COCHE DE SEGUNDA MANO

Se besan.
Se abrazan.

Así se construye

(→ Unidad 30, nivel Elemental y Unidad 8 de este nivel)

- Delante de un pronombre de objeto directo (OD), los pronombres de objeto indirecto (OI) *(le, les)* se convierten en **se:**

Le
Les $\Big\}$ + *lo, la, los, las* ⟶ **se** *lo,* **se** *la,* **se** *los,* **se** *las*

> ¿Le dijiste a Pedro lo de la fiesta?   > ¿Les diste las camisas a Rosa y a Teresa?
< Sí, **se** lo dije.   < No, **se** las di a Luis y a Antonio.

- Si hay un pronombre de OD, el OI siempre tiene que ser un pronombre.
  * Lo dije a Pedro. → **Se** lo dije (a Pedro).
  * Las compré a ti. → **Te** las compré (a ti).
  – En cambio, si hay un pronombre de OI, no es obligatorio que el OD sea un pronombre.
    > ¿Le regalaste el libro a Pepe?
    < Sí, **le** regalé el libro. / Sí se **lo** regalé.

● **Se recíproco.** La forma es igual que la de un reflexivo pero el verbo siempre va en plural.

ABRAZARSE	ESCRIBIRSE
nos abrazamos	nos escribimos
os abrazáis	os escribís
se abrazan	**se escriben**

● **Se impersonal.** Para expresar impersonalidad o para generalizar.

  – **Se** + verbo en singular.

   Se *vive / se come bien en esta ciudad.*

   Aquí no **se** *puede fumar. /* **Se** *detuvo al sospechoso.*

● **Se de pasiva refleja:** hay sujeto gramatical, pero no se indica el agente.

  – **Se** + verbo en singular + nombre en singular con determinante o sin él.

   Se *vende piso. /* **Se** *va a vender el piso de la abuela.*

  – **Se** + verbo en plural + nombre en plural con determinante o sin él.

   Se *vende***n pisos***. / Mañana* **se** *entregarán* **las notas.**

Así se usa

● **Se en lugar de *le***

  – Repetimos el objeto indirecto (OI) detrás del verbo en forma no pronominal, si es la primera vez que nos referimos a ese OI.

   > *¿Qué has hecho con las fotos?*

   > **Se las he dado.* → **Se** *las he dado* **a Javier.**

  – No repetimos el OI detrás del verbo en forma no pronominal, si ya se ha mencionado antes el OI.

   > *¿Le has dado las fotos* **a Javier***?* < *Sí,* **se** *las di hace unos días.*

● **Se recíproco**

  Significa 'el uno al otro'. Se refiere siempre a dos o más personas, por eso el verbo va en plural.

   Luis y Teresa **se miran.** *(Luis mira a Teresa y Teresa mira a Luis).*

   Mis alumnos **se mandan** *sus trabajos por correo electrónico. (Los unos a los otros).*

  – El pronombre **se** puede acompañar a un verbo que no lleve objeto directo (OD) específico y en ese caso **se** es OD.

   Juan y Graciela **se** **aman.**
                    OD

  – El verbo puede llevar su propio OD y en ese caso **se** es OI.

   Mis primos **se** *mandan* **fotos** *por el teléfono móvil.*
             OI   OD

- **Se impersonal**

  – Se usa cuando no sabemos o no nos interesa mencionar quién realiza la acción.

    Se habla mucho de eso últimamente.

    (En general, sin personalizar, la gente habla mucho de eso últimamente).

    Se pierde mucho tiempo discutiendo.

    (En una reunión, por ejemplo, puedo saber quién pierde el tiempo, pero no me refiero a nadie en concreto, no quiero o no interesa decirlo).

- **Se de pasiva refleja**

  – Se usa para señalar que no se menciona quién hace la acción del verbo. Con el nombre sin determinante, se emplea frecuentemente en anuncios y carteles.

    Mañana **se** venderán **las acciones** de la empresa.

    Ayer **se** concedió **la medalla** al prestigioso actor.

    Se alquila **piso** para reformar.

    Se arreglan **ordenadores** a buen precio.

E J E R C I C I O S

Practique cómo se construye

 Elija entre singular o plural.

Ej.: Se publicará los libros en enero. / **Se publicarán** los libros en enero.

1. Los hermanos se corta el pelo el uno al otro. / Los hermanos se cortan el pelo el uno al otro.

2. En este restaurante se hace unas patatas bravas muy buenas. / En este restaurante se hacen unas patatas bravas muy buenas.

3. Mis amigos se llama por teléfono todos los días. / Mis amigos se llaman por teléfono todos los días.

4. Entre la gente se habla mucho de esos escándalos / Entre la gente se hablan mucho de esos escándalos.

5. En el Gobierno se está estudiando las soluciones. / En el Gobierno se están estudiando las soluciones.

6. El uno y el otro se pelea todo el día. / El uno y el otro se pelean todo el día.

2 **Complete con los pronombres que sean necesarios.**

Ej.: *¿Dónde están las llaves?* **Se las** *di a Ana.*

1. ¿Tiene María tu móvil? Sí, yo .... di el otro día.

2. ¿Qué han hecho tus amigos con mis fotos? Yo .... he regalado.

3. ¿Y los dibujos? ¡Huy!, ... he dado a mi hermano.

4. ¿Quería consultarme algo? Gracias, ya .... he consultado al jefe.

5. ¿Cuántos años tiene Rocky? No sé, pregúnta.................. a él.

6. ¿Qué habéis hecho con vuestros ejercicios? .... entregamos ayer al profesor.

3 **Relacione las dos columnas.**

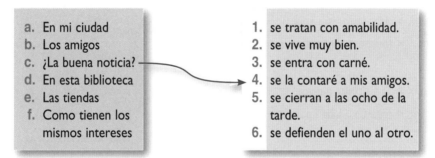

a. En mi ciudad	1. se tratan con amabilidad.
b. Los amigos	2. se vive muy bien.
c. ¿La buena noticia?	3. se entra con carné.
d. En esta biblioteca	4. se la contaré a mis amigos.
e. Las tiendas	5. se cierran a las ocho de la tarde.
f. Como tienen los mismos intereses	6. se defienden el uno al otro.

Practique *cómo se usa*

4 **Clasifique las frases según el tipo de se.**

OI (sustituye a *le*)	Recíproco	De impersonalidad o generalización
		1.

1. Aquí se discute mucho pero se trabaja poco.
2. Los policías se intercambiaron los mensajes.
3. Durante el verano se escriben cartas y se llaman por teléfono.
4. Es una buena idea, pero se lo consultaré a Jorge.
5. Se dicen demasiadas cosas sobre mí que no son verdad.
6. Se dice que los españoles somos muy amables. No lo tengo muy claro.

5 **Responda las preguntas utilizando *se*. Escuche y compruebe.**

(1: 29)

Ej.: > *¿Has terminado el trabajo?*

    < *(Entregado al profesor)* → *Sí, **se lo** he entregado al profesor.*

1. > ¿Qué puedo hacer con toda esta ropa que ya no me sirve?

    < (hay lugares / comprar ropa usada / donde)

    ....

2. > ¿Qué hacen los chicos para aprender bien la lección?

    < (hacer preguntas / el uno al otro)

    ....

3. > ¿Qué es necesario para practicar el esquí?

    < (necesitar / gafas de sol, esquís, guantes, ropa de abrigo)

    ....

4. > ¿Has visto este anuncio? Me puedo presentar.

    < (buscar / actrices, no cantantes)

    ....

5. > ¿Y tu collar nuevo?

    < (prestar / Julia / para una fiesta)

    ....

6. > ¿Qué opinan en tu país del nuevo presidente?

    < (decir / cambiar / muchas cosas)

    ....

6 **Reescriba estas oraciones usando *se*. Escuche y compruebe.**

(1: 30)

Ej.: *En esta reunión todos hablamos mucho pero no solucionamos los problemas.*

    *En esta reunión **se habla mucho** pero no **se solucionan los problemas.***

1. En este restaurante el cocinero prepara un cebiche peruano buenísimo.

    ....

2. El día de la conferencia abriremos las puertas a las diez en punto y las cerraremos a las once.

    ....

3. Alquilamos una habitación por 300 euros al mes.

    ....

4. ¿Por qué cada vez que hacemos un trabajo en grupo discutimos durante horas y no exponemos las ideas de forma ordenada?

....

....

5. Para entrar en este club, necesitamos el carné y una autorización.

....

6. He oído que últimamente Sara dice de mí muchas tonterías sobre mi pasado.

....

M I S   C O N C L U S I O N E S

7 **¿Verdadero (V) o falso (F)?**

a. El se para expresar impersonalidad nunca concuerda con el nombre: ......

b. Si hay un se recíproco, el verbo va en singular porque significa 'el uno al otro': ......

c. El se OI sustituye al pronombre le y también al pronombre les: ......

8 **Añada "no" donde sea necesario.**

1. El pronombre se sirve para expresarse impersonalmente cuando .... nos interesa indicar quién es la persona que realiza la acción o .... sabemos quién es.

2. Se .... sustituye a le si hay otro pronombre al lado.

3. También usamos se cuando .... nos referimos a una acción que se hace mutuamente.

¡ FÍJESE !

(1: 31)

¿Qué te pasa? Te veo **muy** cansada.

Sí, ayer dormí **poco**. ¿Me preparas un café?

Claro, por supuesto.

Así se construye

(→ Unidad 15, nivel Elemental)

Adverbios de tiempo		Adverbios de lugar	Adverbios de modo
Tiempo definido	**Secuenciadores**	Abajo Arriba Dentro (de) Fuera (de) Alrededor de	Así Adverbios en -mente: fácilmente, difícilmente, maravillosamente, horriblemente, estupendamente…
Anoche Anteayer Ahora	Entonces / Luego Después (de) / Antes (de) Anteriormente Últimamente Mientras / Ya Todavía		

Adverbios de afirmación y otras fórmulas para afirmar	Adverbios de negación y otras fórmulas para negar	Adverbios de cantidad
Sí Bueno También Claro Naturalmente Por supuesto	No No… ni Nunca Jamás Tampoco En absoluto Para nada	Nada Casi / Casi no Más Bastante Demasiado Mucho / Muy Poco / Un poco

Adverbios reforzadores	Adverbios focalizadores	Adverbios intensificadores	
Además Encima Menos / Excepto	Solo Solamente Sobre todo	Realmente Verdaderamente Francamente	} + cualidad

- **La negación**

– Adverbio de negación $\left\{\begin{array}{l}\text{Jamás}\\\text{Nunca}\\\text{Tampoco}\end{array}\right\}$ + Verbo

Yo **jamás** llego tarde.

Él **nunca** pide perdón.

Yo **tampoco** sé las respuestas.

– **No** + Verbo + Adverbio de negación $\left\{\begin{array}{l}\text{Jamás}\\\text{Nunca}\\\text{Tampoco}\end{array}\right.$

Yo **no** llego **jamás** tarde. / Yo **no** llego tarde **jamás**.

Él **no** pide perdón **nunca**. / Él **no** pide **nunca** perdón.

Yo **no** sé **tampoco** las respuestas. / Yo **no** sé las respuestas **tampoco**.

¡ATENCIÓN!

El adverbio de cantidad *nada* refuerza la negación cuando va detrás del verbo y precedido de *no*.

No me gustan **nada** (= de ninguna manera) *tus modales*.

En el fondo, **no** le preocupa **nada** (= en absoluto) *tu salud*.

Tampoco y *también* pueden ir delante del sujeto.

Tampoco / **también** yo sé las respuestas.

Así se usa

- **Adverbios de MODO**

ASÍ

La manera de realizar la acción está en el contexto, señala la forma en que se ejecuta algo. Es un deíctico, es decir, se puede referir a una acción ya mencionada o a una acción que se va a mencionar. Puede ir delante o detrás del verbo.

Así no se hace.

Tienes que hacerlo **así**: primero escribe los datos y luego los clasificas.

FÁCILMENTE, DIFÍCILMENTE

– Aluden a la facilidad o dificultad para realizar una acción.

Entró **fácilmente** en la casa.

– O a la probabilidad de que algo se realice.

Difícilmente te escuchará hoy; está muy ocupado.

NATURALMENTE es adverbio de modo cuando se refiere a la forma de hacer las cosas.

*Siempre actúa **naturalmente** (= de forma natural).*

Algunos adverbios en *-mente* expresan una apreciación subjetiva / valorativa de una acción o de un estado.

*Canta **maravillosamente**. / Te entiendo **estupendamente.***

• Adverbios de TIEMPO

ANOCHE

Significa la noche anterior a este día, la noche pasada.

***Anoche** volví tarde a casa.*

PRIMERO, LUEGO, DESPUÉS

Sirven para secuenciar el discurso, para ordenar temporalmente los hechos.

***Primero** desayuno, **después** me lavo los dientes.*

ANTES

Se opone a *ahora* y a *después*.

***Antes** vivía en Ecuador, **ahora** vivo en España.*

*Como no has estudiado **antes**, tienes que estudiar **después**.*

• Adverbios de LUGAR

ALREDEDOR DE

Significa la acción de recorrer por fuera un lugar, rodeándolo.

*El niño da vueltas **alrededor de** la mesa.*

DENTRO (DE)

Indica 'en el interior de'. A veces se puede sustituir por *en*, pero solamente cuando *en* significa 'en el interior' y no cuando significa 'sobre'. *Dentro* puede aparecer solo.

*El anillo está **en** la caja. = El anillo está **dentro de** la caja.*

*Tienes la comida en la mesa. ≠ *Tienes la comida dentro de la mesa.*

*Si nos buscas, estamos **dentro**, fuera hace mucho frío.*

• Adverbios de CANTIDAD

NADA

Como adverbio de cantidad acompaña al verbo, adverbios o a sustantivos sin artículo con la estructura *nada de*.

*No tengo **nada de** sueño, voy a leer un rato.*

*No has venido **nada** pronto.*

CASI

– Indica una cantidad o cifra aproximada.

*Tengo **casi** cien euros.*

*Son **casi** las doce.*

– Delante de un verbo expresa que no se ha cumplido del todo lo mencionado por el verbo, significa lo mismo que *por poco.*

***Casi** pierdo el autobús, pero corrí y logré alcanzarlo.*

*Ya **casi** estamos en Navidad.*

POCO, BASTANTE, DEMASIADO (→ Unidad 4 de este nivel y unidad 24 del nivel Elemental).

– Modifican a adjetivos, adverbios y verbos. Van delante de los adjetivos y los adverbios y detrás de los verbos.

*Es **poco** / **bastante** / **demasiado** orgulloso.*

*Vive **demasiado** / **bastante** lejos.*

*Últimamente como **poco**. No me encuentro bien.*

UN POCO (frente a *poco*) (→ Unidad 4)

– Expresa una cantidad o duración imprecisa de la acción.

*Voy a leer **un poco**, comeré **un poco**.*

Frente a *poco*, que indica 'no mucha cantidad'.

*Leo **poco,** comeré **poco**.*

– Sirve para mitigar lo expresado por el verbo.

> ¿Te duele la cabeza?

*< **Un poco.***

– Sirve para suavizar una cualidad negativa.

*Juan es **un poco desagradable**, ¿no?*

MUY / MUCHO

– **Muy** no puede acompañar al verbo. Solo a adjetivos y adverbios.

*Está **muy alta** para su edad.*

*Hay que repetirlo, está **muy mal.***

Trabajo **muy. → Trabajo **mucho**.*

– **Mucho** acompaña al verbo y suele ir detrás de él.

• **Fórmulas para AFIRMAR**

SÍ

Generalmente, no se contesta solo con el adverbio *sí.*

> ¿Me dejas el diccionario un momento?

*< **Sí, claro**, ahí lo tienes, encima de la mesa.*

BUENO

Se afirma, pero sin estar muy convencido.

> *¿Puedo probar el pastel?*

< **Bueno**, *pero no te lo comas todo.*

CLARO

– Se usa para responder afirmativamente a una pregunta (muchas veces, para conceder permiso). Equivale a 'sí', pero con *claro* se afirma algo que es evidente, lo mismo que con *por supuesto*.

> *¿Hoy es lunes?*

< *Pues* **claro**.

> *¿Puedo abrir la ventana?*

< **Claro**.

> *¿Tenemos que venir mañana?*

< **Claro**.

– También se usa para expresar acuerdo con otra persona. Equivale a 'es normal'.

> *Estoy preocupada por mi situación laboral.*

< **Claro** (= es normal).

– Puede acompañar a *sí* y a *por supuesto*.

> *¿Puedo ir contigo al cine?*

< *Sí,* **claro**. / **Claro**, *por supuesto.*

¡ATENCIÓN!

No lo confunda con el adjetivo *claro*. Fíjese en la concordancia.

> *No veo* clar**a** *la respuesta.* / *Estos colores son muy* clar**os**. (Adjetivo)

> *¿Has terminado el trabajo?* < **Claro**. (Adverbio)

POR SUPUESTO

– Expresa algo que nos parece evidente. Equivale a 'claro'.

Por supuesto *que lo haremos.*

– Se usa también para conceder permiso.

> *¿Podemos llegar hoy más tarde?*

< **Por supuesto**, *estamos de vacaciones.*

TAMBIÉN

Afirma cuando se ha hecho una afirmación previa de forma explícita o implícita.

> *¿Has leído* El País*?*

< *Sí, claro.*

> *¿Y* La Vanguardia*?*

< **También**.

> *¡Qué miedo pasé aquel día en el avión! Creí que nos caíamos.*

< *A mí* **también** *me pasó algo así.*

NATURALMENTE

– Se usa muchas veces para conceder permiso.

> *¿Puedo cerrar la puerta?* < **Naturalmente**.

– También se usa para reforzar una afirmación contundente; equivale a 'por supuesto'
y 'claro'.

> *¿De verdad vas a decir eso en público?* < **Naturalmente.**

Naturalmente *que vendrá.*

– No se usa para responder afirmativamente a una pregunta que exige respuesta sin
refuerzo, ya que *naturalmente* enfatiza o refuerza.

> *¿Estamos a 2 de agosto?*

< ~~Naturalmente~~ → *Sí. / Creo que sí.*

• **Fórmulas para NEGAR**

NI

Necesita delante una negación (→ Unidad 19).

* *Me gusta la carne ni el pescado.* → **No** *me gusta la carne* **ni** *el pescado.*

Nunca *como carne* **ni** *pescado.* / **Tampoco** *como carne* **ni** *pescado.*

TAMPOCO

Niega cuando se ha negado previamente de forma explícita o implícita.

> *No he visto ninguna película de Spielberg.* < *Yo* **tampoco.**

JAMÁS / NUNCA

– Significan que nunca se ha realizado una acción. *Jamás* es más rotundo que *nunca*.

Jamás *había visto una cosa así.*

– Si *jamás* va detrás de *nunca*, se enfatiza mucho la negación.

Nunca jamás *volveré a llamarte. Para mí estás muerto.*

EN ABSOLUTO / PARA NADA

– Significan un *no* rotundo. *En absoluto* es más formal. *Para nada* se usa coloquialmente.

> *¿Te importa si dejamos este asunto para otro momento?*

< *(No)* **En absoluto** */ (no)* **para nada.**

• **Adverbios REFORZADORES**

ADEMÁS / ENCIMA

Enfatizan la cantidad o la cualidad añadiendo algo.

Canta, baila, toca el piano y **además** */* **encima** *trabaja 8 horas al día.*

Es alto, guapo y **además** */* **encima** *simpático.*

MENOS / EXCEPTO

Enfatizan la generalización al mostrar la excepción.

*A mi fiesta vinieron todos **excepto** / **menos** tú.*

• **Adverbios FOCALIZADORES**

SOBRE TODO

Resalta una acción, una cualidad o cualquier otro elemento, y pone sobre él el foco de atención. Equivale a 'especialmente'.

*Como de todo, pero **sobre todo** pescado.*

SOLO / SOLAMENTE

Resaltan una acción, cualidad o cualquier otro elemento y lo hacen exclusivo.

*Come poquísimo y **solo** pescado.*

*No te pido mucho: **solamente** quiero hablar contigo.*

• **Adverbios INTENSIFICADORES**

Enfatizan una cualidad expresada con un adjetivo o un adverbio.

*Me encuentro **francamente** mal.*

*Es **realmente** tonto.*

*El trabajo está **verdaderamente** bien.*

EJERCICIOS

Practique cómo se construye

1 **Clasifique estos adverbios.**

anoche / mientras / arriba / así / bueno / jamás / claro / ya / alrededor de / para nada
estupendamente / fácilmente / naturalmente / poco / por supuesto / nada / tampoco

Tiempo	Lugar	Modo	Cantidad	Afirmación	Negación
Anoche					

2 **Ordene estos elementos para formar una frase.**

Ej.: *la inauguración / ir / tampoco / Nosotros / a* → *Nosotros tampoco fuimos a la inauguración. / Tampoco nosotros fuimos a la inauguración.*

1. nunca / dije / así / Yo / algo ....

2. jamás / Ella / esa manera / actuaba / de ....

3. se cae / Ayer / María / se tropezó / y / casi ....

4. también / piensa / Juan / así ....

5. jamás / me / nunca / mentiste / Vos ....

6. No / nada de / comida / quedó ....

3 **Sustituya lo subrayado por un adverbio en -*mente* con el mismo significado.**

Ej.: *Lo hace de forma muy fácil.* → *Lo hace **fácilmente.***

1. Habla en público <u>de maravilla</u> ....

2. Pablo está <u>estupendo</u> ....

3. Viste <u>de forma horrorosa</u> ....

4. Lo dice <u>con franqueza</u> ....

5. No te pongas nerviosa y compórtate <u>con naturalidad</u> ....

6. Actuó <u>de manera normal</u> y nadie se dio cuenta de nada ....

Practique cómo se usa

4 **Marque la respuesta adecuada. Escuche y compruebe.**

(1: 32)

Ej.: *Antes vivía en Barcelona, **ahora** / después / ya vivo en Madrid.*

1. Yo me voy *dentro / menos / francamente,* aquí hace mucho frío.

2. *En absoluto / absolutamente no / de nada* creo que me hayas mentido.

3. *Ya / todavía / todavía no* he visto la exposición del museo Reina Sofía. Fui ayer.

4. No hago la compra todos los miércoles, *solo / menos / realmente* dos miércoles al mes.

5. Todavía no he limpiado la cocina, así que tengo que limpiarla *ahora / después / después de* comer.

6. Cada vez come menos, ya *casi / poco / un poco* no come nada.

7. Puedo ir todos los días *excepto / tampoco / también* los viernes.

8. Canta, baila y *ya / además / entonces* compone las canciones.

9. Paula *sola / solamente / todavía no* va a estar dos días con nosotros.

10. Vamos a hacer una fiesta con música, bebida, comida y *sobre todo / todavía / además* con mucho humor.

5 **Ordene estas secuencias. Utilice *primero, después, luego*.**

Ej.: *En el supermercado: Pagar. Meter los productos. Coger la cesta.*
__Primero__ se coge la cesta, __después__ se meten los productos y __luego__ se paga.

1. En casa

| Salir de casa | Vestirse | Ducharse |

....

2. En la oficina

| Mirar el correo electrónico | Quitarse el abrigo | Encender el ordenador |

....

3. En la piscina

| Quitarse la ropa | Darse crema | Tumbarse al sol |

....

(1: 33)

6 **Conteste con un adverbio de negación o de afirmación, según lo que se indica entre paréntesis. Escuche y compruebe.**

Ej.: > *¿Estás preocupado?*
      < *(Nunca) Yo __nunca__ me preocupo.*

1. > Nunca he estado en Cáceres, ¿y tú?
   < (No) ....
2. > Supongo que vas a la exposición.
   < (Sí) ....
3. > Solamente me queda un filete en la nevera, ¿tú comes carne?
   < (Eres vegetariana) ....
4. > Quiero hacer un viaje el próximo mes.
   < (Sí) ....
5. > ¿Te ha gustado la peli?
   < (No) ....

7 **Complete las frases con *arriba, abajo, dentro* y *fuera*.**

1. Para dormir

Los niños, en la primera planta.   Los niños .... *arriba* ....
Los mayores en la planta principal.   Los mayores ....
Los jóvenes, en el jardín.   Los jóvenes ....

2. **Para comer**

Los niños, en el jardín.   Los niños ....

Los mayores, en el salón.   Los mayores ....

Los jóvenes, donde quieran.   Los jóvenes .... o ....

• Ahora, completa esta nota con los términos anteriores y *dentro de, alrededor de.*

Sebastián:

Esta tarde llega la familia, aquí tienes unas instrucciones. Síguelas al pie de la letra:

Los niños dormirán ...., en la primera planta. Los mayores ...., en la planta principal, pero los jóvenes no dormirán en la casa, dormirán ...., en el jardín o .... las tiendas de campaña que hemos instalado.

A la hora de la comida y de la cena los niños comerán ...., en el jardín. Deben sentarse .... la mesa grande. Los mayores comerán ...., en el salón principal, pero deben sentarse .... la mesa pequeña, no de la grande.

Gracias por tu ayuda.

La señora

M I S   C O N C L U S I O N E S

8 **Marque verdadero (V) o falso (F).**

a. *Naturalmente* puede expresar modo y afirmación: ......

b. *Nunca* y *jamás* pueden ir delante y detrás del verbo: ......

c. *Casi* siempre lleva detrás un verbo: ......

d. *Dentro* y *dentro de* se usan de la misma manera: ......

e. Como adverbios *solo* y *solamente* significan lo mismo: ......

9 **Complete estas frases.**

1. *También* y *tampoco* pueden ir delante y .... del verbo.

2. *Bueno* es una fórmula de ...., pero sin estar muy convencido.

3. *Menos* significa lo mismo que ....

FÍJESE!

(1: 34)

¿Has ido **de** compras?

Sí, mira, le he comprado un libro **a** Carlos. Estaba muy bien **de** precio.

¿**Para** cuándo tendrán el libro?

Creo que **para** el viernes, pero **hasta** mañana no lo sabré.

Así se construye

Recuerde (→ Unidad 13, nivel Elemental)

A + el (artículo) = AL → Voy **al** teatro. De + el (artículo) = DEL → Vengo **del** teatro.

~~CON + YO~~ → CONMIGO ¿Vienes **conmigo** al cine?

~~CON + TÚ~~ → CONTIGO Carlos, ¿puedo ir **contigo**?

- **La estructura**

  – Preposición + sustantivo / infinitivo / pronombre.

    Fui **a** su casa. / Fui **a** estudiar. / Fui **con** ellas.

  – Sustantivo / adjetivo / adverbio + preposición.

    Busco un **libro con** ilustraciones bonitas. / Es un ordenador **fácil de** usar.

    No está **lejos de** aquí.

  – Verbo + preposición.

    Viven en un palacio. / **Viven con** los abuelos. / **Viven sin** trabajar.

– Locuciones preposicionales. *Junto a; frente a.*

– Adverbios de lugar + preposición. *Enfrente de; cerca de; encima de, debajo de, detrás de, dentro de…* El adverbio puede aparecer solo: *enfrente, cerca, encima, debajo, detrás, dentro.*

– Adverbios de cantidad + preposición: *Más / menos de* + cantidad (→ Unidad 7).

> Hay **más de** 30 euros. / No hay **más de** 20 personas.

– Locuciones adverbiales (fórmulas lexicalizadas). *Por lo general, por la mañana / tarde / noche, por lo menos, por favor.*

- **Algunos verbos que rigen una determinada preposición**

*Ayudar **a** hacer algo* → *Gracias por ayudarme **a** terminar el trabajo.*

*Casarse **con** alguien* → *¿Sabes que Astrid se casa **con** el profesor de Lengua?*

*Dedicarse **a*** → *Mi padre se dedica **a** la restauración.*

*Enamorarse **de** alguien* → *De pequeña me enamoraba **de** todos los artistas de cine.*

*Invitar **a** hacer algo* → *Nos invitaron **a** cenar en un restaurante estupendo.*

*Parecerse **a** alguien* → *Ese chico se parece un montón **a** Woody Allen, ¿no?*

Así se usa

- **A**

En general, indica una inclinación, movimiento o punto de referencia. Con ella indicamos:

– La dirección, el punto de destino.

> *En Navidades iremos **a** Argentina de vacaciones.*

– Localización / la situación espacial en relación con otro elemento.

> *Mi despacho está **a la derecha** del ascensor. / Tuve que sentarme **junto a** Clara.*

– Indica la fecha o el día de la semana con *estar (estamos)*. No se usa con los años.

> **Estamos a** 20 de septiembre. / **Estamos a** miércoles.

– Indica el precio variable o por unidades, especialmente con el verbo *estar:*

> *Las manzanas **están a** un euro el kilo.*

– Introduce el objeto indirecto.

> *Le he dado el libro **a Héctor**. / **A los perros** les gusta jugar.*

– Introduce el objeto directo cuando es persona o animal conocido o individualizado.

> *He visto **a María**. / He visto **al gato** corriendo como un loco.*

• Con

En general, sirve para expresar que una cosa acompaña a otra. Con ella indicamos:

– Compañía (→ Unidad 13, nivel Elemental).

Estoy **con** *Pedro.*

– Acompañamiento.

No me gusta el té **con** *leche. / En el menú de hoy había filete* **con** *patatas.*

– Instrumento.

Lo ha escrito **con** *el rotulador verde.*

– Manera en que se hace algo.

Silvia escucha **con** *mucha atención.*

Pagué el regalo **con tarjeta.**

• De

En general, sirve para especificar o determinar un nombre. Con ella indicamos:

– El tipo o clase de objeto.

Máquina **de** *escribir; hoja* **de** *reclamaciones; Me encanta el helado* **de** *piña.*

– El material del que está hecho algo, el contenido.

Esa camiseta es **de** *algodón 100%. / Por favor, alcánzame la botella* **de** *agua.*

– La posesión.

Ese libro es **de** *José Luis.*

– Las relaciones entre personas.

Es la madre **de** *Rosalie. / Es el amigo* **de** *David.*

– La procedencia y lugar de nacimiento (→ Unidad 13, nivel Elemental).

Ese tren viene **de** *Segovia.*

Soy **de** *Uruguay.*

– Localización.

Me he comprado una casa **cerca de** *la tuya.*

– Especificamos las partes del día.

He quedado con Juan a las cinco **de la tarde.**

• En

En general, sitúa dentro de un espacio concreto o temporal. Con ella indicamos:

– Lugar = dentro de / encima de.

El libro está **en** *el cajón = <u>dentro del</u> cajón / <u>El libro está* **en** *la mesa</u> = <u>encima de</u> la mesa.*

– Tiempo = dentro de un periodo.

En enero, en verano, en 1982, en vacaciones… / Estamos **en** *verano.*

– El medio de transporte (→ Unidad 13, nivel Elemental).

Volvemos **en** *avión, es más rápido.*

– El modo en que se hace algo: en general, en serio, en broma, en efectivo, en metálico.

Juan se toma muy **en serio** *su relación con Ana.*

- **Entre**

Indica el espacio o el tiempo estableciendo los límites.

— Espacio real: *El tercer piso está **entre** el segundo y el cuarto.*

○ En medio de otras cosas o personas.

*El informe tiene que estar **entre** estos papeles. / Aquí estamos **entre** amigos.*

○ Tiempo.

*Entonces, quedamos **entre** ocho y ocho y media, ¿de acuerdo?*

— Indica que hay varios sujetos en una acción.

***Entre** Mar y Bruno organizaron la cena.*

- **Sin**

— Indica lo contrario de *con*:

*¿Tomas el café con azúcar o **sin** azúcar? / Nos quedamos **sin** entradas para el concierto.*

— *Sin* + infinitivo expresa modo.

*Recorrimos 300 km **sin parar.***

- **Sobre**

— Indica localización espacial: *encima de.*

*El libro está **sobre** la mesa.*

— Indica localización temporal: tiempo aproximado.

*Nos iremos **sobre** el (día) 15. / Llegaron **sobre** las doce.*

— Indica el tema de algo.

*Ángela está hablando **sobre** su experiencia en Inglaterra.*

*La conferencia fue **sobre** el uso de las nuevas tecnologías y la energía.*

- **Desde ... hasta / de ... a**

— Para hablar de horarios (→ Unidad 13, nivel Elemental).

Desde + las ... hasta + las / de ... a.

*Está abierto **desde las** 9 de la mañana **hasta las** 10 de la noche.*

*Está abierto **de** 9 de la mañana **a** 10 de la noche.*

- **Por**

— Causa, razón, motivo (→ Unidad 13, nivel Elemental).

*Le han dado el primer premio **por** su trabajo de investigación.*

*Me cambié de casa **por** el ruido. / Le he dado las gracias **por** su ayuda.*

— Localización espacial: recorrido, lugar por el que se pasa.

*Voy a casa **por** el centro. / Voy a Barcelona **por** Zaragoza.*

— Localización espacial aproximada.

*Esa calle está **por** ahí abajo.*

— A través de.

*Mira **por** la ventana. / Habla **por** teléfono.*

— Localización temporal aproximada.

*Viene **por** Semana Santa.*

– Medio.

*Lo he oído **por** la radio.*

*Lo ha enviado **por** correo electrónico.*

*Habla **por** teléfono.*

• **Para**

– Expresa finalidad, objetivo (→ Unidad 13, nivel Elemental).

*El bolígrafo sirve **para** escribir.*

*Ponte las gafas **para** leer.*

– Destino, lugar.

*Salgo **para** Barcelona dentro de dos horas.*

– Destinatario.

*Estas flores son **para** mi madre.*

*¿Este regalo es **para** mí?*

– Límite temporal.

> *¿**Para** cuándo tendrán el coche arreglado?*

< ***Para** el martes.*

– Opinión.

> ***Para mí**, lo más importante es la familia.*

< *Pues **para mí**, el trabajo.*

EJERCICIOS

Practique cómo se construye

1 **Elija la respuesta correcta. Escuche y compruebe.**

(1: 35)

1. Voy a invitar *de / con / a* Mercedes y *a / con / en* su hija Ángela.

2. ¿*De / Con / A* qué va a pagar: *con / en / a* efectivo o *con / en / a* tarjeta?

3. ¿*Ø / De / A* qué día estamos: *Ø / de / a* martes o *Ø / de / a* miércoles?

4. ¿Qué día es hoy: *Ø / de / a* miércoles o *Ø / de / Ø / a* jueves?

5. ¿*Ø / De / A* qué hora te llamo mañana *en / de / por* la mañana?

6. Mañana *por / de / a* la mañana te llamo.

7. Todos los años iba *en / por / con* avión.

8. Hemos enviado la información *por / con / a* correo electrónico.

9. Se ha casado *con / por / de* su novia de toda la vida.

10. Está feliz porque se ha enamorado *a / de / con* un chico estupendo.

11. Silvia y Pedro me están ayudando *a / de / con* limpiar la cocina.

2 **Escriba cuatro frases con elementos de las tres columnas.**

La semana pasada fue ——————
En los bares siempre pide él las consumiciones
Los fines de semana Sole se encarga
Siempre viaja
Vuelvo

A
DE

el pueblo en tren
el cine
el jardín
el camarero
el trabajo a las ocho

1. _La semana pasada fue al cine._ ....

2. ....

3. ....

4. ....

5. ....

Practique (cómo se usa)

3 **Complete las frases con la preposición adecuada.**

1. > ¿Qué haces?

   < Estoy escribiendo .... una amiga de Irlanda.

2. > ¿Has visto mi libro?

   < Está .... la mesa de la cocina.

3. > ¿Hacemos la tortilla de patatas .... cebolla o .... cebolla?

   < Me da igual.

4. > ¿................. qué hora es la clase .... conversación?

   < .... las 10 .... la mañana.

5. > ¿Dónde está la fuente de La Cibeles?

   < Está en la plaza que hay .... la Puerta del Sol y la Puerta de Alcalá.

6. > ¿Cuánto tiempo va a estar la exposición?

   < .... el 20 de mayo .... el 15 de octubre.

7. > ¿Dónde está sentada Caren?

   < Caren está sentada .... Tedy y Conchi.

8. > ¿Cuál es la composición .... esta camiseta?

   < Es .... algodón 100 %.

9. > ¿Estás .... vacaciones?

   < Sí, ... el lunes. Todo lo bueno se acaba.

10. > ¿................. qué te dedicas?

   < Soy farmacéutica.

4 **Relacione las preposiciones de estas frases con su uso.**

1. El gazpacho se come *con* cuchara.
2. Mi padre toma helados *sin* azúcar.
3. Andrea es la amiga *de* María.
4. *Entre* M.ª Jesús y Javi llevaron la barca.
5. He visto *a* mis padres esta tarde.

a. Relación entre personas.
b. Hay varios sujetos en una acción.
c. Objeto directo de persona.
d. Instrumento.
e. Indica lo contrario de *con*.

5 **Relacione con flechas las frases y su significado.**

1. Va por Barcelona.
a. Ahora está en Barcelona.
b. Su destino es Barcelona.

2. El bolígrafo está en el cajón.
a. Está sobre el cajón.
b. Está dentro del cajón.

3. Viene por Navidad.
a. Vendrá en Navidad.
b. Vendrá alrededor de Navidad.

4. Estaré aquí a las tres.
a. A esa hora estaré aquí.
b. Después de esa hora no estaré aquí.

5. Vivo en Madrid desde los cinco años.
a. Tenía cinco años cuando vine a vivir aquí.
b. Hace 5 años que vivo aquí.

6. La serie trata sobre la España de los años 40.
a. El tema de la película es la España de los años 40.
b. La serie trata más o menos sobre la España de los 40.

(1: 36)

6 **Relacione elementos de las tres columnas. Escuche y compruebe.**

Ej.: *Antonio y Carmen son los padres de las cinco hermanas.*

1. Es una camisa
2. Antonio y Carmen son los padres
3. La maleta está
4. Rita toma siempre la tortilla
5. La cervecería Cervantes está
6. Estaré en casa
7. En el cine me senté
8. Me encanta el pan
9. Los libros están
10. Escribo siempre
11. La biblioteca está

de
sin
hasta
debajo de
entre
con
junto al
sobre
enfrente de
en

lino.
cebolla, no le gusta.
las cinco hermanas.
la cama.
las cinco.
folios blancos.
una iglesia.
los dos niños.
museo.
tomate.
la mesa.

7 Complete con *por* y *para.*

1. > ¿Qué es esto?
   < Un regalo, es .... mi padre.

2. > ¿Qué le pasa a Alexandra?
   < Nada importante, que está preocupada .... el examen.

3. > ¿Qué hace Luis? ¿Por qué no estudia? La semana que viene tiene el examen.
   < Es que .... él, ese examen no es importante.

4. > .... el lunes .... la mañana tenéis que leer este artículo.
   < Vaaaale.

5. > ¿Cuánto dinero hay?
   < .... lo menos hay 300 euros.

6. > ¿Qué te pasa? ¿Por qué cojeas?
   < Es que ayer me caí .... la escalera.

7. > ¿Qué vas a hacer al final con el paquete?
   < Mañana .... la mañana lo enviaré .... correo.

8. > ¿Por qué corres tanto?
   < Porque el avión .... Málaga sale dentro de dos horas.

9. > ¿Qué tiempo hace?
   < No sé, mira .... la ventana.

10. > ¡Mira! Está roto .... todas partes, ... la derecha, ... abajo,
    .... la esquina...
    < Sí, ... mí, que esto no tiene arreglo.

M I S   C O N C L U S I O N E S

8 Marque verdadero (V) o falso (F).

a. La preposición *en* puede significar *sobre:* ......
b. Cuando expresamos tiempo con el verbo *estar* siempre usamos la preposición *a:* ......
c. La relación de parentesco se expresa con la preposición *de:* ......

9 Elija la preposición adecuada.

a. El horario es *de* / *desde* las 9:00 de la mañana *hasta* / *a* las 9:00 de la noche.
b. Estamos *a* / *en* 12 de enero. Es *a* / *Ø* invierno.
c. Me pongo las gafas *por* / *para* no ver bien y *por* / *para* ver bien.

FÍJESE!

(1: 37)

Conocí a Héctor en una fiesta.

Hola, ¿qué tal? Me llamo Héctor.

Hola, Héctor, encantada, yo soy Lisa.

¡Hombre, Lisa! ¿Qué tal? ¡Cuánto tiempo!

Hola, Héctor. Me alegro mucho de volver a verte.

Ya conocía a Héctor cuando lo vi en la fiesta.

Así se construye

(1: 38)

Algunos indefinidos irregulares. (→ Unidad 25, nivel Elemental)

	PODER	VENIR	PEDIR
Yo	pude	vine	pedí
Tú / vos	pudiste	viniste	pediste
Él / ella / usted	pudo	vino	**pidió**
Nosotros /-as	pudimos	vinimos	pedimos
Vosotros /-as	pudisteis	vinisteis	pedisteis
Ellos /-as / ustedes	pudieron	vinieron	**pidieron**

(1: 38)

	DORMIR	LEER	SER / IR	ANDAR
Yo	dormí	leí	fui	anduve
Tú / vos	dormiste	leíste	fuiste	anduviste
Él / ella / usted	**durmió**	**leyó**	fue	anduvo
Nosotros /-as	dormimos	leímos	fuimos	anduvimos
Vosotros /-as	dormisteis	leísteis	fuisteis	anduvisteis
Ellos /-as / ustedes	**durmieron**	**leyeron**	fueron	anduvieron

– Se conjugan como *poder:* tener → tuve...; estar → estuve...; poner → puse...

– Se conjugan como *venir:* querer → quise...; hacer → hice...; dar → di...

– Se conjugan como *pedir:* reír(se) → rio, rieron; seguir → siguió, siguieron; sentir → sintió, sintieron; mentir → mintió, mintieron; sugerir → sugirió, sugirieron...

– Se conjuga como *dormir:* morir → murió.

– Se conjuga como *leer:* caer → cayó.

Otros indefinidos irregulares

(1: 38)

	TRAER	DECIR	SABER	CONDUCIR	HUIR
	(+ j)	(e > i, c > j)	(ab > up)	(uc > uj)	(ui > uy)
Yo	tra**j**e	di**j**e	**sup**e	condu**j**e	hui
Tú / vos	tra**j**iste	di**j**iste	**sup**iste	condu**j**iste	huiste
Él / ella / usted	tra**j**o	di**j**o	**sup**o	condu**j**o	hu**y**ó
Nosotros /-as	tra**j**imos	di**j**imos	**sup**imos	condu**j**imos	huimos
Vosotros /-as	tra**j**isteis	di**j**isteis	**sup**isteis	condu**j**isteis	huisteis
Ellos /-as / ustedes	tra**j**eron	di**j**eron	**sup**ieron	condu**j**eron	hu**y**eron

– Se conjuga como *traer:* distraerse.

> **Me distraje** un momento en clase y no me enteré de qué teníamos que hacer.

– Se conjuga como *decir:* predecir.

> La gitana me **predijo** el futuro leyéndome la mano.

– Se conjuga como *saber:* caber.

> Cuando lo vi con mis propios ojos no me **cupo** ninguna duda.

– Se conjugan como *conducir:* producir, traducir.

> Su divorcio me **produjo** una gran satisfacción.

– Se conjugan como *huir:* construir, destruir, sustituir.

> Mi abuelo **construyó** ese edificio hace veinte años.

Así se usa

Lo usamos para **narrar** en el pasado. Presenta las acciones enmarcadas en un periodo de tiempo determinado, **no como costumbres**.

> *Hace tres años* **estuve** *en Estocolmo y allí* **conocí** *a sus padres.*

> **Esperé** *media hora en la calle.*

- Cuando usamos el indefinido con verbos como *saber, conocer, enterarse de, darse cuenta de*, etc., nos referimos al momento preciso en que algo ocurre.

Cuando me lo **dijiste,** *lo* **supe** *(me enteré en ese momento; antes no lo sabía).*

Conocí *a Héctor en la fiesta (en ese momento lo conocí, no antes).*

Contraste con el imperfecto

Cuando me lo dijiste, lo **sabía** *(ya tenía la información antes).*

Ya **conocía** *a Héctor cuando me lo presentaste en la fiesta (ya lo conocía; lo conocí en otro sitio antes de esa fiesta).*

- Con verbos como *caerse, dar un salto, desmayarse, tropezar, llamar (a la puerta), nacer, morir…*, el indefinido refuerza el significado perfectivo (acción acabada y puntual) del verbo. La acción puede ocurrir una o varias veces.

> **Tropecé** *y* **me caí** *en medio de la calle.*

> **Llamé varias veces** *a su puerta, pero no* **me abrió** *nadie.*

- Con el indefinido se presenta el hecho como algo completo, terminado.

> *La semana pasada María* **tuvo** *gripe (acción completa, acabada en el pasado: "María* <u>ya no tiene</u> *gripe").*

Contraste con el imperfecto

> *La semana pasada María* **tenía** *gripe (no se marca el final de la acción: no se indica si María sigue con gripe o no).*

- Una acción repetida en el pasado se puede presentar de dos maneras:

   – De forma narrativa, mostrando todas las veces dentro de un único marco temporal:

   De pequeño **me caí** <u>varias veces</u> *por estas escaleras (entonces se usa el indefinido).*

   – De forma descriptiva, presentando la acción como habitual:

   De pequeño **me caía** <u>una y otra vez</u> *por estas escaleras (entonces se usa el imperfecto).*

EJERCICIOS

Practique (cómo se construye)

 Clasifique los siguientes verbos en la casilla correspondiente.

contradecir, reducir, contraer, caber, introducir, predecir, construir, extraer, destruir

El indefinido se construye como **decir**	El indefinido se construye como **traer**	El indefinido se construye como **saber**	El indefinido se construye como **conducir**	El indefinido se construye como **huir**
contradecir				

2 **Añada la persona gramatical y la letra que falta.**

1. .....*Ellos, ellas, ustedes*..... condu...*j*...eron durante cinco horas.
2. .... constru......ó este palacio.
3. .... contra......imos una enfermedad contagiosa.
4. .... predi.......isteis mal nuestro futuro.
5. ¿............................. tradu......iste este libro de poemas?
6. .... no cu......e en el coche.

Practique (cómo se usa)

1: 39)

3 **Escriba el verbo en la forma adecuada y ordene los hechos para construir una historia. Después, escuche la historia ya ordenada y compruebe.**

1. Aquel día, Mario (levantarse) ...*se levantó*... muy pronto.
2. (Responder) .... muy bien a todas las preguntas... y le (dar) .... el trabajo.
3. (Salir) .... de casa con tiempo para llegar tranquilo a la entrevista de trabajo.
4. (Darse) .... una ducha fría y (ponerse) .... su mejor traje.
5. (Esperar) .... tres cuartos de hora al autobús.
6. (Llegar) .... con el tiempo justo, pero finalmente (acudir) .... a la entrevista.
7. Por fin (tomar) .... un taxi.

ORDEN DE LA HISTORIA .*1.*...

4 **Diga si lo indicado por los verbos se produjo en ese momento o anteriormente.**

Ej.: *Todo **fue** muy rápido y la gente **no se dio cuenta** de nada. → Los hechos ocurrieron en ese momento. No son anteriores.*
*Cuando me ofrecieron comprar aquella casa, **ya me gustaba.** → El gusto, el interés son anteriores al momento del ofrecimiento.*

1. Supe que había ganado el Premio Nacional de Literatura cuando me llamaron.

   ....

2. Nos enamoramos de aquella casa y de su magia en cuanto la vimos.

   ....

3. No pudimos darle una sorpresa con la noticia porque ya la conocía.

   ....

4. Me ofrecieron subirme el sueldo y regalarme un coche nuevo, pero no quise aceptar y dejé muy claro por qué.

   ....

5. No quería malos entendidos y por eso dejé muy claras cuáles eran mis razones para no aceptar.

   ....

6. Amé a aquel gatito desde el mismo momento en que me miró.

   ....

5 **Elija la opción correcta.**

Ej.: *Ayer <u>fuimos</u> / íbamos al cine y después a bailar.*

1. Al final no compré / compraba nada en la tienda de recuerdos.

2. En aquel periodo de mi vida cada noche me despertaba / desperté asustado y sin saber dónde estaba / estuve.

3. En aquella ocasión le propuse / proponía un negocio estupendo y él no lo aceptó / aceptaba; ahora ya es tarde.

4. Contrajo / contraía aquella terrible enfermedad en uno de sus viajes.

5. Francis, de pequeño, se ponía / se puso enfermo cada dos por tres.

6. El sábado te llamé / llamaba varias veces para invitarte a salir con nosotros.

: 40)

6 **Relacione las columnas y, a continuación, transforme el infinitivo de manera adecuada. Después, escuche y compruebe.**

Ej.: *a. 1.*

a. Imaginé lo peor…	**1.** cuando (ver) …… la expresión de tu cara.
b. Lo siento, reconozco que…	**2.** me (despertar) …… en una habitación desconocida.
c. Conduje toda la noche…	**3.** te (hablar, yo) …… mal sin razón.
d. Estoy avergonzado porque…	**4.** no (saber, yo) …… comportarme en tu fiesta.
e. Cuando amaneció…	**5.** después de descubrir tu mentira.
f. Cogí las maletas y me fui para siempre…	**6.** para poder verte cinco minutos.

7 **¿La situación pudo cambiar o no? Diga si con la información que nos dan los verbos en cursiva podemos saber si se marca el final de la acción o no.**

Ej.: *La reunión* fue *un verdadero desastre.* → *Información completa. Se marca el final de la acción.*

1. La discusión *subía* de tono, todo el mundo *empezaba a perder* la paciencia.

....

2. *No me gustó* lo que *oí* y *me marché* sin dar explicaciones.

....

3. Nadie *hizo* nada para aclarar la situación y *nos fuimos* de allí con muy mal sabor de boca.

....

4. *Esperábamos* las explicaciones de la coordinadora antes de abandonar el proyecto, pero ella no *decía* nada.

....

5. Algunos de nosotros *contamos* chistes, pero no se *rio* nadie.

....

(1: 41)

8 **Seleccione la forma verbal apropiada para cada contexto y relacione los diálogos entre sí. Después, escuche y compruebe los diálogos ya relacionados.**

1. > Perdónanos, Matilde, no *pudimos* / *podíamos* ir a la inauguración de tu exposición porque lo *supimos* / *sabíamos* ayer.

   < Sí que lo siento. Os *extrañé* / *extrañaba* mucho todo el tiempo.

2. > Antes de llegar a la reunión, todos *sabíamos* / *supimos* lo que nos iban a contar.

   < ¿Ah, sí? ¿Y cómo *os enterasteis* / *os enterabais*?

3. > Me *propusieron* / *me proponían* presentar a Emma, y hasta llegar al escenario no *me di cuenta* / *me daba cuenta* de que *tenía* / *tuve* una mancha en el pantalón.

   < ¿Y qué *hiciste* / *hacías*?

   > ¡Pues disimular!

4. > Antes *era* / *fui* una persona muy despistada, nunca *me daba cuenta* / *me di cuenta* de las tonterías que hacía.

   < Pues has cambiado mucho. El otro día nadie *notaba* / *notó* lo de la mancha del pantalón excepto tú.

5. > ¿Y todo *salió* / *salía* bien en la exposición?

   < Sí, yo creo que sí, *venía* / *vino* mucha gente y todo el mundo *se quedó* / *se quedaba* hasta el final.

   > ¡Qué alegría! ¡Cómo *sentimos* / *sentíamos* no poder ir!

6. > Nos *enteramos* / *enterábamos* porque Emilio *conoció* / *conocía* a una persona del equipo de Recursos Humanos y le *contó* / *contaba* algo.

   < ¡Qué peligroso! ¿No?

   > Sí, la verdad, pero afortunadamente nadie *llegó* / *llegaba* a enterarse de nada.

9 **Intercale en el enunciado más adecuado el verbo en indefinido que le damos.**

A. (NOS CONOCIMOS).

1. Éramos muy amigos cuando él nos presentó como a dos extraños.

2. Lo recuerdo bien: el 6 de julio de 1996. Nunca lo olvidaré.

Ej. *a. 2: Lo recuerdo bien: nos conocimos el 6 de julio de 1996. Nunca lo olvidaré.*

B. (NO ME DIO TIEMPO).

1. De joven, no controlaba bien el tiempo y entregaba los exámenes sin terminar.

2. El otro día te vi cuando te marchabas, pero tu coche arrancó y no pude despedirme.

C. (TE ESPERÉ).

1. ¡¿Cómo dices?! Yo no te dejé plantado. Desde las 6 hasta las 7 y media…, ¿te parece poco tiempo? ¡Claro que luego me fui!

2. Volví, pero con tanto tiempo fuera, claro, te sorprendió verme.

M I S   C O N C L U S I O N E S

10 **Complete.**

El indefinido es un tiempo que siempre se refiere al (presente / pasado / futuro) ………………… y que (narra / describe) …………………… acciones (generales / habituales / sucedidas en un momento concreto). (No / Sí) …………………… se puede referir a una acción que dura mucho tiempo.

11 **Marque verdadero (V) o falso (F).**

a. *Supe* indica que ya tenía la información: ……

b. *Me gustó* indica un gusto o un interés anterior al momento que se narra: ……

c. *Empezaba a llover* no nos informa de si luego siguió lloviendo: ……

d. *Me gustaba* puede indicar un gusto o un interés anterior al momento que se narra: ……

e. *Fue una pena* nos da información completa sobre un hecho que se valora: ……

Iba a llamarte cuando apareciste por la puerta

PRETÉRITO IMPERFECTO DE INDICATIVO

FÍJESE!

(1: 42)

> Te **iba a llamar** en este momento. ¿Dónde has estado?

> Buenos días, ¿**quería** usted algo en concreto?

> Buenos días, **necesitaba** una chaqueta de *sport*, ¿tienen alguna?

Así se construye

(→ Unidad 29, nivel Elemental)

- **Pretérito imperfecto regular**

  -ar: HABLAR → habl-**aba** / habl-**abas** / habl-**aba** / habl-**ábamos** / habl-**abais** / habl-**aban**

  -er: COMER → com-**ía** / com-**ías** / com-**ía** / com-**íamos** / com-**íais** / com-**ían**

  -ir: VIVIR → viv-**ía** / viv-**ías** / viv-**ía** / viv-**íamos** / viv-**íais** / viv-**ían**

  – Casi todos los verbos en imperfecto de indicativo son regulares.

  – Las terminaciones de los verbos en **-er** y en **-ir** son iguales.

- **Pretérito imperfecto irregular**

  SER → era / eras / era / éramos / erais / eran

  IR → iba / ibas / iba / íbamos / ibais / iban

  VER → veía / veías / veía / veíamos / veíais / veían

- **Acciones en desarrollo**

  Acción en desarrollo → imperfecto. / Acción que interrumpe → indefinido.

  > **Iba** por la calle   y   **me encontré** con un amigo.

- **En el estilo indirecto** (→ Unidad 30)

  Para introducir el estilo indirecto no solo se usa *decir*; también se usan *contestar, preguntar…*

  DIJO / DECÍA QUE…

  PRESENTE ────────────────→ IMPERFECTO

  Luis: *"Tengo examen"*.   *Luis dijo que*   *tenía examen*.

Así se usa

- Para expresar una acción en desarrollo **interrumpida, modificada o afectada por otra acción**

  ── ── ── ── ── ── ──│── ── ── ──

  > **Estaba** mirando el correo electrónico, y **se fue la luz**.
  > (acción en desarrollo)   (acción que interrumpe la acción en imperfecto)

  – A veces, la interrupción o modificación no significa que la acción ya no pueda continuar:
    > **Estaba mirando** el correo electrónico, y **se fue** la luz; lo terminé de madrugada, cuando volvió la luz.

  – A veces, lo que se interrumpe es **la intención** de realizar una acción inmediatamente:
    > ¿Qué haces aquí todavía?
    < Es que justo cuando **me iba me han llamado** por teléfono.

- **En el estilo indirecto**

  Se usa el imperfecto para reproducir un mensaje original expresado en presente:
    > ¿Cómo **te llamas**?   > ¿Qué te preguntó Luis?
    < Pedro.   < Me preguntó (que) cómo **me llamaba**.

- **Imperfecto de cortesía**

  En determinados contextos usamos el pretérito imperfecto para hacer un ofrecimiento o una petición de forma más cortés.

  – Se suele expresar con verbos como *querer, necesitar, desear, poder…* (verbos que expresan necesidad o deseo):
    > ¿Qué **deseaban**?
    < **Queríamos** unos libros de gramática para practicar la conjugación.

EJERCICIOS

Practique *cómo se construye*

(1: 43)

1 Lea los enunciados y colóquelos junto a la acción correspondiente. Escuche y compruebe.

Acción en desarrollo	Acción que interrumpe
1. Me senté en un banco	8. Sonó el teléfono
2. Estabas durmiendo	9. Corríamos muy deprisa
3. Oyó un ruido a sus espaldas	10. Encontré un tesoro
4. Me llamaste sin avisar	11. Vieron un extraterrestre
5. Iba a verte	12. Conducíais por una carretera oscura
6. Salían de casa	13. La vio con otro
7. Me caí de bruces	14. Tomabas el sol tranquilamente

Acción en desarrollo 2. ....

Acción que interrumpe ....

2 Transforme el verbo entre paréntesis en la forma apropiada.

1. El profesor nos informó de que no (venir) ......*venía*...... el lunes por motivos familiares.

2. Ella me dijo que (tú, hablar) .... demasiado de sus asuntos.

3. Yo pensaba que (nosotros, ser) .... amigos, pero ya veo…

4. He soñado que (vosotros, volar) .... como los pájaros.

5. Me di cuenta de que (tú, no opinar) .... lo mismo que nosotros.

6. Carlos nos preguntó cuándo (nosotros, poder) .... vernos para hablar del nuevo trabajo.

Practique *cómo se usa*

(1: 44)

3 Elija un verbo para completar el enunciado (hay más de una posibilidad) y escríbalo en la forma adecuada. Escuche y compruebe.

1. Nosotros ..*íbamos / pasábamos*.. por la calle y de pronto ...*oímos*... un ruido enorme.

   (ir, pasar, salir, ver, asustarse, oír)

2. Aquel día Mariela .... tranquilamente en la cama cuando una luz muy fuerte la ....

   (estar durmiendo, estar enferma, leer, despertar, asustar)

3. Te .... desde el autobús cuando yo .... de la universidad.

   (ver, encontrar, saludar, llamar, volver, ir, salir)

4. Sergio .... el aria *La donna è mobile* cuando de repente .... la voz.

   (pintar, cantar, tocar, ejercitar, perder, dar)

5. Sergio gritó y se subió a una silla porque .... un ratón en la cocina mientras ....

   (aparecer, ver, comprar, cocinar, lavar los platos, cazar)

6. La mujer .... el bolso en la mano y de pronto un ladrón se lo ....

   (comprar, querer, tener, ofrecer, robar, quitar, regalar)

4 **Responda a las preguntas transmitiendo lo que dijeron.**

Ej.: *Ana y Carlos, el lunes pasado: "No podemos ir a la cena porque tenemos un examen".*

> *¿Van a ir Carlos y Ana a la cena?*
< *El lunes pasado **dijeron** que no **podían** ir porque **tenían** un examen.*

1. El profesor de español, ayer: "De momento no vamos a hacer el examen porque tengo que irme fuera de España unos días".

   > ¿Tenemos este viernes el examen de español?

   < ....

2. Usted, la semana pasada: "Yo puedo hacer la primera parte del trabajo pero no me da tiempo a hacer la segunda yo solo /-a".

   > ¿Has traído el trabajo terminado? Dijiste que lo hacías tú, ¿no?

   < ....

3. La amiga de Teresa, hace tres meses: "Tenemos que vernos, pero te llamo yo porque tengo un horario muy raro".

   > Teresa, ¿por qué no me has llamado ni una sola vez en todo este tiempo?

   < ....

4. Ramón, el martes pasado: "Me voy a la casa de la playa, necesito descansar todo el mes".

   > ¿Llamamos a Ramón para ir al cine? ¿Está en Madrid?

   ....

5 **Transforme los siguientes diálogos de manera que sean más corteses.**

Ej.: > *Hola, buenos días, ¿podemos ayudarle en algo?*
    < *Sí, necesito un diccionario de español.* → *Sí,* **necesitaba** *un diccionario de español.*

1. En la oficina de información turística:

    > Buenos días, ¿qué quiere? ....

    < Buenos días, quiero saber los lugares de interés que hay en Tenerife. Ah, también necesito una lista de los hoteles y un plano.

    ....

2. En el despacho del jefe:

    > Adelante, pase.

    < Perdón, tengo que preguntarle unas dudas.

    ....

3. En un restaurante:

    > Para mí un entrecot a la pimienta.

    < Muy bien, ¿desea algo más, señor? ....

    < No, gracias. Ah, perdone, el entrecot lo quiero poco hecho.

    ....

4. En la recepción de un hotel:

    > Hola, buenas tardes, ¿qué quiere? ....

    < Verá, quiero una habitación individual y tranquila. ¿Tienen alguna libre?

    ....

    > Sí, tenemos precisamente una libre. ¿La quiere con vistas a la calle o al patio interior?

    < ....

6 **Escriba una posible acción en desarrollo para completar los enunciados (puede elegir entre las posibilidades del recuadro).**

estar tranquilos	estar durmiendo
contemplar	sospechar lo que ocurría
conducir tranquilamente por mi lado	ir conduciendo normalmente
saber la realidad	estar muy deprimida

1. .... *Conducía tranquilamente por mi lado / iba conduciendo normalmente* .... y de pronto otro coche me golpeó por la izquierda.

2. Entró el secuestrador mientras el padre y la madre ....
Fue un caso horroroso.

3. Yo no .... hasta que la vi en aquel bar.

4. Todos ...., pero de pronto la historia que contó Marga nos asustó.

5. Gloria .... el maravilloso cielo azul y entonces se cayó de bruces en una zanja.

6. Yo .... cuando apareciste tú con ese ramo de rosas. ¡Qué gran amiga!

7 **Primero, complete las oraciones de forma lógica con los elementos que faltan y, después, clasifíquelos en la tabla correspondiente.**

Iba a pedir la hipoteca; Gloria iba a probar el postre; Volvía a casa;
Hablaba con mi hermano por teléfono; Mila iba a echarse la siesta; Me iba de vacaciones

1. ....*Volvía a casa*........... cuando descubrí que no tenía las llaves del despacho.

2. .... y me llamaron para ofrecerme un trabajo estupendo.

3. .... y entonces llegó la cucaracha al plato.

4. .... cuando me tocó la lotería.

5. ...., pero los vecinos empezaron a dar golpes en el piso de arriba.

6. .... y me cortaron la línea.

| Intención no realizada | .... |
| Acción en desarrollo | *Volvía a casa...* .... |

M I S   C O N C L U S I O N E S

8 **Elija la opción adecuada.**

1. El imperfecto de cortesía se refiere:
   a. al pasado.
   b. al presente.
   c. al pasado y al presente.

2. El imperfecto sirve para:
   a. interrumpir una acción en desarrollo.
   b. presentar una acción más larga.
   c. presentar una intención que se interrumpe.

Hace cinco minutos que se ha ido

PRETÉRITO PERFECTO DE INDICATIVO

 ¡ FÍJESE !

(1: 45)

¿Y Juan Carlos?

Pues **hace** solo cinco minutos **que** se ha ido.

14:05

Así se construye

(→ Unidad 27, nivel Elemental)

- Se forma con el presente del verbo *haber* y el participio del verbo conjugado. El verbo *haber* y el participio son inseparables: no se puede introducir nada entre ambas formas.

  * *Ha ya terminado* → *Ya ha terminado.* / *Ha terminado ya.*

- El participio nunca cambia; no concuerda ni en género ni en número con el objeto directo ni con el sujeto: *José ha salido.* / *José y Ana han salido.*

- Participios irregulares:

PONER: *puesto*	ESCRIBIR: *escrito*	HACER: *hecho*	ROMPER: *roto*
ABRIR: *abierto*	VER: *visto*	DECIR: *dicho*	VOLVER: *vuelto*
SER: *sido*	CUBRIR: *cubierto*	RESOLVER: *resuelto*	MORIR: *muerto*

Así se usa

(→ Unidad 27, nivel Elemental)

- **El pretérito perfecto** lo usamos para **expresar acciones o hechos terminados en un tiempo no concluido,** como parte del presente del hablante.

  – Marcadores que refuerzan el presente del hablante: *hoy, este año, esta semana, últimamente, hasta ahora, hasta hoy* (el presente es el límite).

    Esta mañana me he levantado *temprano.* (*Esta mañana* forma parte del día de hoy).

  <u>Contraste con el pretérito indefinido</u>

    Este año ***ha llovido*** *mucho.* (La acción de llover ya ha pasado, pero aún estamos en este año).

    El año pasado ***llovió*** *mucho.* (La acción de llover ya ha pasado y el año pasado ya es un tiempo terminado, no forma parte del presente del hablante).

  – El indefinido se usa con marcadores que señalan una unidad cerrada de tiempo sin relación con el presente del hablante: *ayer, hace tres años, la semana pasada...*

    Ayer me acosté *tarde.* (Ya estoy en el día de hoy. El día de ayer ya es tiempo terminado).

- **El pretérito perfecto** también **señala un resultado presente de hechos pasados**, es decir, el resultado de una acción acabada en el pasado sigue siendo relevante en el presente.

    ¡Enhorabuena! ***Has mejorado*** *mucho.*

    (Ahora tus resultados son mejores).

    ¡Cómo ***ha crecido*** *esta ciudad!*

    (La ciudad ahora es más grande que antes).

    El terremoto del mes pasado ***ha causado*** *graves problemas económicos.*

    (Las consecuencias económicas del terremoto siguen notándose ahora).

  <u>Contraste con el pretérito indefinido</u>

    Han reformado *la biblioteca.*

    (La biblioteca está ahora reformada. El resultado de la reforma se mantiene).

    Reformaron *la biblioteca.*

    (No sabemos si la biblioteca sigue o no reformada, pues con el indefinido no se indica si el resultado de una acción sigue manteniéndose en el presente).

- **Los marcadores temporales** *alguna vez, nunca, siempre, a veces* van con pretérito perfecto y otras veces van con pretérito indefinido.

  1. Con PRETÉRITO PERFECTO: sitúan la acción en un contexto espacial con el sentido figurado de 'en toda mi vida': desde el principio hasta ahora.

     Nunca / Siempre he tenido mucha suerte en el trabajo.

     – Estos marcadores señalan que el límite es el presente y la continuidad de la acción no se determina o no se expresa.

       Siempre he tenido suerte con las cartas, no sé por qué estoy perdiendo. (Siempre, es decir, hasta ahora, he tenido suerte, pero no sé si eso va a continuar).

       Siempre he pensado que eres muy optimista.

       (Hasta ahora eso es lo que pienso).

     – También señalan que la acción continúa en el presente y nos remitimos a un hecho que acaba de ocurrir y que confirma una opinión o valoración previa.

       *¿Por qué os sorprendéis? Yo **nunca he tenido** suerte con las cartas.*

       (Y ahora tampoco: lo digo porque estoy perdiendo).

       *¿Que Luis no te ha saludado? No te preocupes, **siempre ha sido** un antipático.*

       (Es decir, actualmente es antipático y eso lo confirma el hecho de que no te ha saludado).

  ## ¡ATENCIÓN!

  ### Contraste presente / pretérito perfecto

     Con presente, hablamos de un hábito o de una manera de ser en general, no hacemos referencia a un hecho concreto que acaba de ocurrir.

       *Yo siempre **como** así.*

       *¿Luis? **Es** un antipático.*

  2. Con PRETÉRITO INDEFINIDO: las expresiones *alguna vez, nunca, siempre, a veces...* presuponen otro marcador que los delimita en el pasado, es decir, se refieren a un periodo completo y concreto del pasado que no llega hasta el presente: *nunca* (en aquella época), *siempre* (cuando era pequeño), etc.

     *Nunca cuando era pequeño **suspendí** una asignatura, ahora en la universidad no puedo decir lo mismo.*

     *Mi madre **siempre supo** que yo la quería aunque no nos llevábamos bien. La echo de menos.*

- **Sin marcador temporal**: el pretérito perfecto también se usa para expresar un hecho terminado sin determinar el momento en el que ocurre.

     > *Me gusta tu reloj.*

     < *Pues **me ha costado** muy poco.* (No especifico cuándo, no me interesa indicar el momento en que lo compré, lo he podido comprar incluso esta mañana).

<u>**Contraste con el pretérito indefinido**</u>

Por el contrario, el **indefinido** deja claro que fue en un momento del pasado, no en cualquier momento hasta ahora. Presupone un marcador o una expresión referida a un tiempo pasado y terminado: *ayer, hace tres años, cuando lo compré...*

> *Me gusta tu reloj.*

< *Pues **me costó** muy poco (cuando lo compré).*

- **Valor psicológico**

  – El uso del pretérito perfecto depende de hasta dónde llega el presente según el hablante. Por eso, algunos marcadores temporales, como *hace / hace que* pueden ir con pretérito perfecto e indefinido.

    Con el pretérito perfecto, el hablante considera que las acciones han ocurrido dentro de su tiempo presente.

    *¿Carmen? Hace cinco minutos que **se ha ido**.*

    *Hace un cuarto de hora **ha venido** a buscarte un amigo.*

    *¿Carmen? Hace diez horas que **se ha ido** a Almería a visitar a su tía.*

<u>**Contraste con el pretérito indefinido**</u>

El hablante considera que las acciones han ocurrido fuera de su tiempo presente.

    *¿Carmen? Hace cinco minutos que **se fue**.*

    *Hace un cuarto de hora / media hora **vino** a buscarte un amigo.*

  – Para hacer énfasis en que la acción ocurre en nuestro presente, se emplea la estructura: *No hace ni, solo hace + cantidad de tiempo + que.*

    *¿Carmen? Pero si **no hace ni cinco minutos que** se ha ido.*

    ***Solo hace un cuarto de hora que** ha venido a buscarte un amigo.*

<u>**Contraste con el pretérito indefinido**</u>

Para hacer énfasis en que la acción ocurre fuera de nuestro presente o para alejarla de él usamos la estructura: *Hace (por) lo menos + cantidad de tiempo + que.*

    *¿Carmen? Pero si **hace (por) lo menos veinte minutos que** se fue.*

    ***Hace (por) lo menos media hora que** vino a buscarte un amigo.*

> En muchas zonas hispanohablantes, dentro y fuera de España, usan de forma distinta el pretérito perfecto, o no se usa y en su lugar se prefiere el pretérito indefinido.

EJERCICIOS

Practique *cómo se construye*

(1: 46)

1 **Escriba el participio de los verbos modelo de la tabla. Después, clasifique las irregularidades de los participios de estos verbos. Escuche y compruebe.**

▶ deshacer ▶ componer ▶ prever ▶ contradecir ▶ describir ▶ reponer ▶ devolver ▶ rehacer

Poner: *puesto*	Decir:	Hacer:	Ver:	Volver:	Escribir:
Repuesto					

2 **Escriba el pretérito perfecto.**

Ej.: *(Yo, trabajar):* **He trabajado** *mucho esta semana, estoy cansado.*

1. *¿(Ustedes, abrir):* .... las ventanas?

2. *(Nosotras, romper):* .... las fotos del verano.

3. *(Tú, salir):* .... conmigo muchas veces, no digas que no.

4. *(Vosotros, venir):* ¿Por qué no ....? Os hemos estado esperando.

5. *(Yo, ser):* Yo no .... el único en salir corriendo.

6. *(Ella, estar):* .... en la conferencia, nos puede contar lo que han dicho.

(1: 47)

3 **Escriba el pretérito perfecto e introduzca la palabra entre paréntesis en el lugar adecuado. Después, escuche y compruebe.**

Ej.: (Siempre) (yo, pensar) que la vida es muy bonita. → Yo **siempre he pensado** *que la vida es muy bonita.* / Yo **he pensado siempre** *que la vida es muy bonita.*

1. ¿(Ya) (tú, poner) la ensalada en la mesa?

....

2. El escritor (perfectamente) (describir) el paisaje de su pueblo.

....

3. ¿Tus llaves? (hoy) (nosotros, verlas) en la mesa del salón justo antes de salir.

....

4. No (todavía) (devolver, vosotros) los libros a la biblioteca.

....

5. Mi amigo músico me dijo que me iba a componer una canción y (finalmente) (él, componerla).

....

6. No (nunca) he ido a Córdoba, pero tengo ganas de ir.

....

Practique cómo se usa

4 Complete las oraciones con una expresión de tiempo o con el verbo en la forma adecuada del pretérito perfecto o del indefinido. Después, anote el número de cada frase en su dibujo correspondiente.

este año   hoy   este curso

1. .....Hoy...... (comer) ......he comido...... demasiado y me duele el estómago.
2. .... ha sido más difícil que el del año pasado.
3. En 1789 .... (estallar) la Revolución francesa.
4. .... ha habido mucha sequía, 300 días sin una gota de agua.
5. El año pasado .... (haber) mucha sequía, 300 días sin una gota de agua.
6. .... he trabajado todo el día, desde las 9 de la mañana hasta las 10 de la noche y estoy agotada.
7. Esta semana .... (ir) al gimnasio dos veces, el martes y el jueves.

1...   ....

A: pretérito perfecto   B: pretérito indefinido

5 Complete con el pretérito adecuado y clasifique los enunciados en la tabla.

1. Yo nunca (entender) ...he entendido.... de política y ahora tampoco entiendo ni una palabra.
2. Nunca (tener) .... problemas con el latín cuando estaba en la escuela, pero ya se me ha olvidado por completo.
3. Yo siempre (ser) .... amable contigo. No sé por qué tú me tratas así de mal continuamente.
4. Jaime siempre (tener) .... el mismo defecto y se morirá así, no cambiará.
5. Nosotros nunca os (protestar) .... por nada, pero ya es hora de poner las cosas claras.
6. Siempre (trabajar) .... muy bien en equipo: no tendremos problemas.

7. Mi hijo mayor no (discutir) .... ni una sola vez con sus amigos cuando era pequeño.

A Periodo concreto que no llega hasta el presente.	B No sabemos si la acción continúa o no en el presente.	C Hasta este momento, a partir de ahora ya no.	D Desde el pasado pero continúa en el presente.
			1

6 **Complete el diálogo siguiendo lo indicado entre paréntesis.**

(La acción ha podido ocurrir en cualquier momento. Sin definir cuándo).

> ¿...*Has hablado*.... con Teresa?

< Sí, precisamente hablé con ella ayer.

(Quien pregunta se refiere a un momento pasado y terminado).

> ¿Y qué te ....?

< Pues por lo visto ha tenido problemas de salud y ha estado sin trabajar un mes.

(No sabe en qué momento ha ocurrido. Sin definir).

> ¡Ah, sí! ¿Y sabes qué le ....?

< No sé exactamente qué le ha pasado, pero sé que ha sido algo relacionado con aquel accidente de coche de hace tiempo.

(Sabe que el accidente pasó hace tiempo).

< ¿Qué accidente? ¿Pero cuándo .... un accidente de coche?

> ¿No te acuerdas? El accidente fue hace dos años y tuvo problemas en la espalda.

(Cree que el accidente tiene consecuencias actualmente).

< ¿Y no .... todavía?

> Ya sabes, recuperarse de un impacto así lleva bastante tiempo. Lo está pasando mal.

(En ningún momento hasta ahora).

> ¡Cuánto lo siento! No sé por qué no .... nada.

< No se lo ha dicho a nadie, yo me he enterado porque la vi salir del médico el otro día.

7 **Cambie el presente por pretérito perfecto donde sea conveniente.**

Ej.: > *¿Por qué no dices algo más productivo?*

> < *¿Cómo dicen? Yo siempre tengo ideas estupendas y ustedes las han utilizado muchas veces, esta no es peor.* → **Yo siempre he tenido...**

1. > ¡Tengo un dolor de cuello...! El ordenador es terrible.

> < Yo siempre *hago* yoga cada dos horas cuando trabajo con el ordenador. Te lo aconsejo.

....

2. > ¿Te has dado cuenta de cómo me ha mirado al pasar? ¡Pero si yo no le he hecho nada!

< ¡No hagas caso! Siempre *tiene* muy mal carácter, no es nada nuevo.

....

3. > ¿Qué haces para tener ese aspecto maravilloso cuando te levantas?

< Siempre *me levanto* con una sonrisa, *bebo* un vaso de agua y *digo* en voz alta: "Hoy será un día estupendo".

....

8 **Responda poniendo énfasis con *no hace ni* o con *por lo menos*.**

Ej.: > *No tengo tus conclusiones por escrito.*

< *(Mandarlas, hace dos días) ¡Pero si (te) las mandé **por lo menos** hace dos días!*

1. > ¡Qué pena! Ya se ha ido Luis y no me he despedido de él.

< (Irse, hace cinco minutos) ...., todavía te da tiempo a alcanzarlo. ¡Corre!

2. > ¿Habéis visto las noticias? Ha muerto el profesor Francisco Gallina.

< (Hablar con él, hace una hora) ¡Qué dices! Si ....

3. > No ha venido porque no sabía la fecha de la reunión.

< (Decírselo, hace una semana, yo mismo) Eso no puede ser. ....

M I S   C O N C L U S I O N E S

9 **Marque verdadero (V) o falso (F).**

a. Los participios de verbos compuestos mantienen la misma irregularidad que en el verbo simple: ......

b. El pretérito perfecto no se refiere nunca a una acción relevante en el presente: ......

c. Con pretérito perfecto nos remitimos a un hecho que acaba de ocurrir y que confirma una opinión o valoración previa: ......

d. Algunos marcadores temporales pueden ir con el pretérito perfecto y con el indefinido, pero no en los mismos casos: ......

10 **Complete.**

1. Cuando usamos *siempre* referido a un periodo concreto del pasado que ya está terminado utilizamos el pretérito ....

2. Para hacer énfasis en nuestro presente psicológico usamos *no hace* .... + cantidad de tiempo + *que*.

3. Podemos referirnos a una acción pasada pero que tiene consecuencias aún en el presente con el pretérito ....

15 *Te busqué pero ya te habías ido*

PRETÉRITO PLUSCUAMPERFECTO DE INDICATIVO

 **¡FÍJESE!**

(1: 48)

> Cuando llegaron a la estación, el tren ya **había arrancado**.

 Así se construye

(1: 49)

Se forma con el pretérito imperfecto del verbo *haber* y el participio del verbo conjugado.

Imperfecto de **HABER**		Participio pasado
Yo	había	estado
Tú / vos	habías	sido
Él / ella / usted	había	terminado
Nosotros /-as	habíamos	comido
Vosotros /-as	habíais	salido
Ellos /-as / ustedes	habían	

+

- **RECUERDA** que el verbo *haber* y el participio son inseparables: no se puede introducir nada entre los dos.

  Había **ya terminado. → **Ya** había terminado. / Había terminado **ya.***

- Algunos participios irregulares:

  Poner → *suponer: supuesto, proponer: propuesto, componer: compuesto…*

  Decir → *predecir: predicho, contradecir: contradicho…*

  Hacer → *deshacer: deshecho, rehacer: rehecho…*

  Escribir → *describir: descrito.*

  Volver → *devolver: devuelto, revolver: revuelto, envolver: envuelto…*

Así se usa

- Expresa una acción o un hecho anterior a otra acción o hecho del pasado.

    Te habías ido ya cuando   yo llegué.

     (línea de pasado)

    Tú te fuiste a las 6.   Yo llegué a las 6:30.

- Siempre está relacionado con otra acción pasada o con un punto de referencia en el pasado. Por eso no puede emplearse de forma aislada.

    Te habías enfadado. (No se entiende sin contexto).

    En cambio:

    > ¿Por qué no me **llamaste?**

    < Porque **te habías enfadado** mucho.

     (línea de pasado)

    Te enfadaste mucho.   No llamé.

    – El punto de referencia no siempre ha de ser un verbo.

    Ayer, a esa hora, ya **había terminado** el informe.

EJERCICIOS

Practique cómo se construye

1 Complete la tabla.

	APRENDER	DECIR	VOLVER	TRABAJAR	VER
yo	Había aprendido				
tú / vos				Habías trabajado	
él / ella / usted					
nosotros /-as			Habíamos vuelto		
vosotros /-as					Habíais visto
ellos / ellas / ustedes		Habían dicho			

2 Complete el verbo en pluscuamperfecto con *haber* y la(s) letra(s) que falta(n).

Ej.: *(Yo) había vuelto* → *a casa esa noche antes que tú.*

1. (Nosotras) .... di............ que sí.

2. (Usted) .... pue...... el informe debajo de unos papeles. Por eso no lo encontró.

3. (Ellos) .... he...... la cena cuando llegué de trabajar. Son un encanto.

4. ¿(Tú) .... vis...... ya esa película?

5. (Vosotros) .... descubie...... el pastel antes que la policía.

6. (Yo) .... escr...... esta carta para ti, pero no sé si dártela.

EJERCICIOS

Practique *cómo se usa*

(1: 50)

3 Relacione ambas columnas para formar diálogos con sentido. Escuche y compruebe.

Ej.: > *Tú no me llamaste.*
< *Claro, porque me habías dicho que no querías saber nada de mí.*

a. No entiendo por qué no dijiste la verdad.

b. No estuvisteis en la cena.

c. Tú no me llamaste.

d. ¿Cómo hiciste un examen tan malo?

e. ¿Y nadie oyó nada?

f. Dijeron que Max tuvo la culpa de todo lo que pasó allí.

1. Claro, porque me habías dicho que no querías saber nada de mí.

2. Es que no nos habían invitado.

3. Porque no había estudiado bastante.

4. Es que me habían amenazado.

5. ¡Pero él nunca había estado en ese lugar!

6. No, todos se habían quedado dormidos.

(1: 51)

4 Complete el siguiente diálogo con el pluscuamperfecto y considerando la opción más adecuada al contexto. Después, escuche y compruebe.

Ej.: > *Yo me fui porque eso era lo que tú querías.*
< *No, eso no es cierto, ¡yo (invitarte, echarte de casa) te había invitado!*

1. < Sí, sí, pero me fui porque estabas enfadada.

> Claro, porque tú (no gustar el regalo / hablarme muy mal) ....

2. > Todavía me acuerdo de lo que nos pasó el otro día.

< Pues yo (tener el pollo en el horno / ya olvidarlo) ....

3. > ¿Podemos hablar de eso? ¿Por qué no diste una explicación?

   < Porque (yo no hacer nada malo / dártela después) ....

4. > Cuando fui a buscarte tú ya te habías ido con Luis.

   < Porque (cinco minutos antes él pedirme ayuda / después él pedírmelo por favor)

   ....

5. > ¿Su problema era tan urgente?

   < Pues sí, porque (él tener una discusión tremenda con Laura / él y yo salir después de

   tu llegada) ....

6. > ¿No pudiste esperarme o avisarme?

   < Te avisé. Antes de salir con Luis (yo dejarte un mensaje en el contestador de tu oficina /

   luego no llamarte más) ....

5 **Lea este texto y sitúe las acciones subrayadas en orden cronológico.**

Tú no habías llegado del trabajo cuando ocurrió. Yo no había cerrado la puerta con llave porque me habías llamado: te habías olvidado las llaves en casa. Oí un ruido, pensé: "Es él, ya está aquí, qué bien". Bajé las escaleras precipitadamente y abrí la puerta: alguien había dejado un ramo de rosas en la entrada. No sospeché nada. Te busqué por todas las habitaciones sin éxito. Entonces salí a la calle porque habían llamado a la puerta y... el resto ya lo sabes.

A. *Tú no habías llegado del trabajo cuando ocurrió:*

   1.º no habías llegado del trabajo...

   2.º ocurrió..

B. Yo no había cerrado la puerta con llave porque me habías llamado: te habías olvidado las llaves en casa.

   1.º ....

   2.º ....

   3.º ....

C. <u>Oí un ruido</u>, pensé: "Es él, ya está aquí, qué bien". <u>Bajé las escaleras precipitadamente y abrí la puerta</u>: <u>alguien había dejado un ramo de rosas en la entrada.</u>

1.º ....

2.º ....

3.º ....

4.º ....

D. <u>No sospeché nada</u>. <u>Te busqué por todas las habitaciones</u> sin éxito. Entonces <u>salí a la calle</u> porque <u>habían llamado a la puerta</u> y... el resto ya lo sabes.

1.º ....

2.º ....

3.º ....

4.º ....

6 Complete esta historia con los siguientes verbos en un tiempo adecuado (a veces hay más de una posibilidad).

► llevar ► dar ► hacer ► regalar ► pasar ► bajar ► mirar
► irse ► cerrar ► beber ► dejar

Busqué por todas partes. Estaba segura: yo (1) **había dejado** el dinero en el cajón el día anterior. Alguien se lo (2) .... Todo el dinero, todo. Jaime me lo (3) .... a mí con toda confianza y yo lo guardé en aquel cajón. Me puse a pensar en todo lo que (4) .... antes de perderlo. Pablo y María habían venido a cenar a casa. Ellos me (5) .... un reloj de mesa. Subí a mi habitación para guardarlo pero ellos ya (6) .... al salón porque la cena estaba servida. (7) .... en el cajón y seguía allí: nadie lo había tocado. Luego (8) .... las escaleras y me reuní con ellos. Fue una cena agradable. Nos despedimos, antes habíamos tomado café en la terraza. Yo (9) .... directamente a la cama porque durante la cena (10) .... demasiado vino y tenía sueño. Me acosté sin quitarme la ropa y me dormí rápida y profundamente, pero... ¡Oh, Dios mío! Recordé con claridad que había estado fuera, en la terraza, y que entré y me tumbé en la cama, pero ¿(11) .... antes la puerta de la entrada?

MIS CONCLUSIONES

7 Complete la definición con la opción correcta.

> El pluscuamperfecto expresa una acción anterior / posterior (1) .... a otra
> acción presente / pasada (2) .... Se forma con el presente / indefinido / im-
> perfecto (3) .... del verbo *haber* y el participio pasado. Sí / no (4)
> .... puede colocarse otra palabra o palabras entre el verbo *haber* y el
> participio.

8 Elija la opción adecuada.

1. **a.** El pluscuamperfecto está relacionado con otra acción.

   b. El pluscuamperfecto no está relacionado con ninguna acción.

2. **a.** Las irregularidades del pluscuamperfecto dependen del verbo *haber*.

   b. Las irregularidades del pluscuamperfecto dependen del tipo de participio.

FUTURO SIMPLE: REGULAR E IRREGULAR

 ¡FÍJESE!

(1: 52)

Oye, ¿cuántos años tiene Thod?

No sé..., **tendrá** 20 años, ¿no?

Pero ¿dónde **estarán** las llaves?

Tranquila, ya las **encontrarás**.

Así se construye

(1: 53)

(→ Unidad 26, nivel Elemental)

Futuros regulares

	ESTUDIAR	CONOCER	IR
Yo	estudiar-**é**	conocer-**é**	ir-**é**
Tú / vos	estudiar-**ás**	conocer-**ás**	ir-**ás**
Él / ella / usted	estudiar-**á**	conocer-**á**	ir-**á**
Nosotros /-as	estudiar-**emos**	conocer-**emos**	ir-**emos**
Vosotros /-as	estudiar-**éis**	conocer-**éis**	ir-**éis**
Ellos /-as / ustedes	estudiar-**án**	conocer-**án**	ir-**án**

Futuros irregulares

	PONER	QUERER	HACER	DECIR
Yo	pondré	querré	haré	diré
Tú / vos	pondrás	querrás	harás	dirás
Él / ella / usted	pondrá	querrá	hará	dirá
Nosotros /-as	pondremos	querremos	haremos	diremos
Vosotros /-as	pondréis	querréis	haréis	diréis
Ellos /-as / ustedes	pondrán	querrán	harán	dirán

- Otros verbos irregulares: *venir* (ven**dré**...), *tener* (ten**dré**...), *salir* (sal**dré**...), *poder* (po**dré**...), *saber* (sa**bré**...).

Así se usa

(→ Unidad 26, nivel Elemental)

- El futuro se utiliza para hablar de acciones futuras y para hacer pronósticos y predicciones:

    Saldremos *de viaje lo antes posible para no pillar caravana.*

    La semana que viene **te llamaré** *para quedar.*

- Para expresar probabilidad o hacer suposiciones referidas al presente:

    > *¿Cómo* **vendrá** *María hasta aquí?*

    < *Seguramente* **llegará** *en metro, no tiene coche.*

    > *¿Dónde* **estará** *Ángel? Siempre nos hace esperar.*

    < **Estará** *a punto de llegar, paciencia.*

- Para hablar de planes y proyectos se usa tanto el futuro, como *ir a* + infinitivo o el presente de indicativo:

    Este verano **iré** *a Cuba.* / *Este verano* **voy a ir** *a Cuba.* / *Este verano* **voy** *a Cuba.*

¡ATENCIÓN!

Seguramente es un adverbio que expresa duda, suposición.

Seguro, en cambio, es una afirmación de certeza.

EJERCICIOS

Practique cómo se construye

1 **Escriba el infinitivo de estos verbos en futuro. Escuche y compruebe.**

(1: 54)

Ej.: *Leeremos → leer.*

1. Vendré: ....
2. Empezaremos: ....
3. Haréis: ....
4. Diremos: ....
5. Querrá: ....

6. Comerás: ....
7. Saldrán: ....
8. Dormirás: ....
9. Entenderé: ....
10. Podrás: ....

2 **Escriba la forma del futuro adecuada.**

Ej.: *(Usted, leer) → leerá.*

1. (Tú, poner): ....
2. (Ella, saber): ....
3. (Usted, empezar): ....
4. (Vos, salir): ....
5. (Ustedes, poder): ....

6. (Nosotros, querer): ....
7. (Ellos, venir): ....
8. (Vosotros, llegar): ....
9. (Yo, hacer): ....
10. (Yo, decir): ....

3 **Complete las frases con la forma adecuada del futuro. Escuche y compruebe.**

(1: 55)

Ej.: *Dentro de cien años los coches no (necesitar)* **necesitarán** *gasolina.*

1. Eduard (salir) .... tarde del trabajo esta semana.

2. No encuentro a Mercedes, ¿(estar) .... en la biblioteca?

3. El año que viene (yo, ir) .... a la universidad de Holanda.

4. No lo (saber, yo) .... hasta mañana.

5. (Vosotros, estar) .... cansados del viaje, (nosotros, hablar) .... más tarde.

6. Paco no ha venido, seguramente no (querer) .... ver a Ana.

7. Bruno no (venir) .... hasta las seis.

8. Mañana no (yo, poder) .... ir a la fiesta.

9. Dentro de 20 años todo el mundo (tener) .... un robot en casa.

10. (Ella, querer) .... venir, pero si tiene mal el pie...

4 **Complete estos diálogos.**

Ej.: > ¿Dónde está José Luis?

< No sé, (estar) **estará** en la biblioteca.

1. > ¿Crees que (haber) .... suficiente bebida? ¡Ha venido mucha gente!

< Sí, yo creo que sí.

2. > ¡Qué bonito es ese vestido! ¿Cuánto (costar) ....?

< Mira a ver. Entra y pregunta.

3. > ¿Por qué no viene Edu?

< (Estar) .... estudiando, está de exámenes finales.

4. > ¿Qué (ser) .... de Amadora? Hace mucho que no la veo.

< Pues ni idea.

5. > Están llamando. ¿Quién (venir) .... a estas horas?

< (Ser) .... tus padres. Siempre llegan sin avisar.

Practique (cómo se usa)

5 **Reaccione expresando probabilidad con una opción válida del recuadro.**

Ej.: > ¿Dónde está Ángela? No está en la sala de ordenadores. < (Estar en el servicio) **Estará** en el servicio.

> No tener hambre. Salir con un compañero de clase. Participar en una maratón.
> Tener más dudas para el examen. Usar unas tijeras. Estar lesionado.
> Bailar hasta la madrugada. Ser de Álex, siempre está recortando.

1. > ¡Qué raro! David no está comiendo. < ....

2. > ¿No juega Raúl? ¡Qué extraño! < ....

3. > ¿De quién son todos estos papeles recortados? < ....

4. > ¿Con quién va a salir Silvia esta noche? < ....

5. > ¡Otra vez ha venido! ¡Qué querrá ahora! < ....

6 Paco y Luisa estudian en la universidad y piensan en su futuro. Escriba los planes de esta pareja para dentro de diez años.

> montar una empresa de multiaventuras, formar un grupo de *rock*, borrar involuntariamente los mensajes de Raúl, viajar a Hispanoamérica, fundar una asociación de amantes de los deportes de riesgo, tener socios en todo el mundo, hacer un safari por África, recorrer Europa en tren, llegar tarde a casa esta noche

PACO Y LUISA

1. *Montarán un empresa de multiaventuras* ....

2. ....

3. ....

4. ....

5. ....

6. ....

7. ....

7 Cuente el pronóstico del tiempo para este fin de semana.

Ej.: (Centro: mantenerse las temperaturas durante el día, la mínima subir) →
En el centro se mantendrán las temperaturas y la mínima subirá.

1. (Norte: subir las temperaturas, haber tormentas).

   En el norte ....

2. (Sur: salir algunas nubes, no llover, hacer frío).

   En el sur ....

3. (Oeste: haber temperaturas templadas, no haber nubes, estar soleado).

   En el oeste ....

4. (Este: hacer calor, subir temperatura).

   En el este ....

8 **Relacione estas frases con el uso del futuro correspondiente.**

1. > ¿Qué hora es?
   < **Serán** las tres.

PLANES Y PROYECTOS

2. > La semana que viene **iré** a París.
   < ¿Viaje personal o de trabajo?

PRONÓSTICOS Y PREDICCIONES

3. > Javier **tendrá** 40 años, ¿no?
   < Sí, creo que sí.

PROBABILIDAD

4. > ¿**Encontraré** un buen trabajo?
   < Sí, la semana que viene **tendrás** la primera entrevista.

5. > El mes que viene **buscaré** trabajo en el periódico.
   < Me parece muy bien.

M I S   C O N C L U S I O N E S

9 **Marque verdadero (V) o falso (F).**

a. Las terminaciones de todas las personas del futuro tienen **-e:** ......

b. El futuro imperfecto no siempre se refiere a tiempo futuro, también puede referirse al presente: ......

c. En *El año que viene estudiaré en Londres,* <u>estudiaré</u> expresa planes y proyectos: ......

d. En *Estará en un atasco y por eso no ha llegado,* <u>estará</u> expresa probabilidad: ......

e. Para expresar algo que no es seguro en presente, usamos el futuro: ......

¡ FÍJESE !

(2: 1)

¿**Podría** hablar con el señor Millán?

De Heinrich Schwarzkopf.

¿De parte de quién?

¿Le **importaría** repetir su nombre, por favor?

Señor Millán, le llama el señor Sevarkof o algo así.

Me **gustaría** mucho, señor Millán, pero no tengo tiempo.

Gracias, pásamelo. Oye, Pepe, **deberías estudiar** alemán.

Así se construye

(2: 1)

Condicionales regulares

	ESTUDIAR	CONOCER	IR
Yo	estudiar-**ía**	conocer-**ía**	ir-**ía**
Tú / vos	estudiar-**ías**	conocer-**ías**	ir-**ías**
Él / ella / usted	estudiar-**ía**	conocer-**ía**	ir-**ía**
Nosotros /-as	estudiar-**íamos**	conocer-**íamos**	ir-**íamos**
Vosotros /-as	estudiar-**íais**	conocer-**íais**	ir-**íais**
Ellos /-as / ustedes	estudiar-**ían**	conocer-**ían**	ir-**ían**

Condicionales irregulares

	PONER	QUERER	HACER	DECIR
Yo	pon**dría**	que**rría**	ha**ría**	di**ría**
Tú / vos	pon**drías**	que**rrías**	ha**rías**	di**rías**
Él / ella / usted	pon**dría**	que**rría**	ha**ría**	di**ría**
Nosotros /-as	pon**dríamos**	que**rríamos**	ha**ríamos**	di**ríamos**
Vosotros /-as	pon**dríais**	que**rríais**	ha**ríais**	di**ríais**
Ellos /-as / ustedes	pon**drían**	que**rrían**	ha**rían**	di**rían**

- Otros verbos irregulares: *venir* (ven**dría**...), *tener* (ten**dría**...), *salir* (sal**dría**...), *poder* (po**dría**...), *saber* (sa**bría**...).

– Cuando el futuro es regular, el condicional es regular:

HABLAR: *habla-**ré**, habla-**ría**.*

– Cuando el futuro es irregular, el condicional es irregular:

TENER: *ten-**dré**, ten-**dría**.*

Así se usa

- Para hacer peticiones o pedir permiso de manera cortés con los verbos *poder, importar, querer, molestar.*

  – Las fórmulas habituales son:

  Podría / podrías / podrían...

  Te / os / le / les importaría... } + infinitivo

  Te / os / le / les molestaría...

  ¿Podría hablar *más despacio, por favor?*

  ¿Le importaría deletrear *su nombre, por favor?*

- Para expresar sugerencias y consejos con los verbos *poder, deber, tener que, haber que.*

  Podríamos ir *al teatro el miércoles, es el día del espectador.*

  Deberías comer *más, estás demasiado delgado.*

  Tendríamos que *ir al mercado, no queda fruta.*

  Habría que poner *gasolina, vamos con la reserva.*

- Para formular deseos, especialmente con verbos que expresan gusto o preferencia y deseo: *gustar, encantar, preferir, querer,* etc.

  < **Me encantaría** *ir a Grecia.*

  > Yo **preferiría** *viajar a Egipto.*

  # Pues yo **querría** *dejar de trabajar.*

E J E R C I C I O S

Practique cómo se construye

1 Escriba el infinitivo de estos verbos.

1. Vendría: .... venir ....
2. Diríais: ....
3. Comeríais: ....
4. Estudiaría: ....

5. Podrías: ....
6. Haríamos: ....
7. Saldrías: ....
8. Pondrían: ....

2 Escriba la forma adecuada del condicional.

1. Escribir (ella): .... escribiría ......
2. Hablar (nosotras): ....
3. Comprender (vosotros): ....
4. Tener (tú): ....

5. Poner (yo): ....
6. Decir (yo): ....
7. Venir (tú): ....
8. Saber (usted): ....

3 Complete estas frases con la forma adecuada del condicional.

Ej.: ¿(Tú, importar) Te **importaría** hacerme un favor?

1. (Ella, deber) .... ser más paciente con su suegra.
2. ¿(Usted, gustar) .... visitar la empresa?
3. ¿(Tú, gustar) .... ir a cenar con ellos?
4. (Vosotros, tener) .... que llamarlo, en eso quedasteis.
5. (Yo, querer) .... salir esta noche, pero no sé si es posible.
6. ¿(Yo, poder) .... ver tu trabajo esta tarde? Mañana no podré.
7. ¿(Vos, saber) .... explicármelo? No entiendo nada.

Practique cómo se usa

(2: 2)

4 Escriba estas frases de manera más cortés. Escuche y compruebe.

Ej.: ¿Puedo hablar con el señor Millán? → ¿Podría hablar con el señor Millán?

1. ¿Le importa cerrar la ventana? Hay corriente.

   ....

2. Buenos días, quería hablar con Antonio Alcaide.

   ....

3. Necesito salir un poco antes, tengo una reunión de vecinos.

   ....

4. ¿Te importa leer este informe y decirme qué te parece?

....

5. ¿Puedes ayudarme con este paquete? Pesa muchísimo.

....

5 Exprese sugerencias o deseos sin repetir la fórmula. Escuche y compruebe.

(2: 3)

Ej.: *Estoy en España, pero nunca hablo español.* → *Deberías hablar más español.*

1. Han abierto un restaurante brasileño aquí al lado.

....

2. Tengo una entrevista de trabajo. ¿Les pregunto cuánto voy a cobrar?

....

3. Esta noche tengo una cena de trabajo. No sé qué ponerme.

....

4. Esta noche hay un documental sobre Woody Allen.

....

5. ¿Te apetece ir al Caribe este verano o a Costa Rica a hacer senderismo?

....

6 Relacione las frases con estos usos del condicional.

Petición cortés	Sugerencia	Deseo

1. ¿Te importaría dejarme tus apuntes?..

2. Me gustaría ver la última película de Almodóvar. *Deseo*...................

3. Tendrías que hablar con él para aclarar las cosas. ....

4. Deberías dormir más, tienes mala cara. ....

5. Me encantaría encontrar la forma de animarte. ....

6. Habría que reservar habitación antes de ir. ....

MIS CONCLUSIONES

7 Marque verdadero (V) o falso (F).

a. *Necesitaría un diccionario* expresa una petición cortés: ......
b. Todos los verbos en condicional expresan deseo: ......
c. *¿Podría hablar más despacio?* es más cortés que *¿Puede hablar más despacio?*: ......

8 ¿Cuál de estas frases es más formal?

a. Quiero un cuaderno. **b.** Quería un cuaderno. **c.** Querría un cuaderno.

18 ¡No me digas!
IMPERATIVO AFIRMATIVO Y NEGATIVO

¡ F Í J E S E !

(2: 4)

Oye, ¿cierro la puerta?

No, **no la cierres**, déjala abierta, por favor.

Tienes muy mala cara. **Anda, tómate** un descanso, que vas a caer enfermo.

Así se construye

(2: 5)

- **Imperativo afirmativo regular** (→ Unidad 23, nivel Elemental)

	-AR	-ER	-IR
	HABLAR	COMER	VIVIR
Tú	habl-**a**	com-**e**	viv-**e**
Vos	habl-**á**	com-**é**	viv-**í**
Usted	habl-**e**	com-**a**	viv-**a**
Vosotros /-as	habl-**ad**	com-**ed**	viv-**id**
Ustedes	habl-**en**	com-**an**	viv-**an**

En Hispanoamérica y en algunas zonas de España (sur y Canarias) usan *ustedes* como plural de *tú* y *vos*.

- **Imperativo afirmativo irregular**

(2: 5)

	HACER	PONER	TENER	DECIR	VENIR	SALIR
Tú	**haz**	**pon**	**ten**	**di**	**ven**	**sal**
Vos	hacé	poné	tené	decí	vení	salí
Usted	haga	ponga	tenga	diga	venga	salga
Vosotros /-as	haced	poned	tened	decid	venid	salid
Ustedes	hagan	pongan	tengan	digan	vengan	salgan

— Otros imperativos irregulares: SER → *sé, sea, sed, sean*. IR → *ve, vaya, id, vayan*.

– Cuando el presente tiene una irregularidad vocálica: E > IE, O > UE, E > I, el imperativo también la tiene.

	-AR > Pensar	-ER > Volver	-IR > Pedir
Tú	piens-**a**	vuelv-**e**	pid-**e**
Vos	pens-**á**	volv-**é**	ped-**í**
Usted	piens-**e**	vuelv-**a**	pid-**a**
Vosotros /-as	pens-**ad**	volv-**ed**	ped-**id**
Ustedes	piens-**en**	vuelv-**an**	pid-**an**

• **Imperativo negativo regular**

– Para formar el imperativo negativo tomamos la forma de la persona *yo* del presente de indicativo y le añadimos las terminaciones correspondientes. Fíjese en que en las terminaciones cambia la vocal del infinitivo.

-AR: A > E   -ER: E > A   -IR: I > A

	-AR > Hablar	-ER > Comer	-IR > Vivir
Tú	No habl-**es**	No com-**as**	No viv-**as**
Vos	No habl-**és**	No com-**ás**	No viv-**ás**
Usted	No habl-**e**	No com-**a**	No viv-**a**
Vosotros /-as	No habl-**éis**	No com-**áis**	No viv-**áis**
Ustedes	No habl-**en**	No com-**an**	No viv-**an**

• **Imperativo negativo irregular**

	Pensar > Pienso	Hacer > Hago	Venir > Vengo
Tú	No piens-**es**	No hag-**as**	No veng-**as**
Vos	No pens-**és**	No hag-**ás**	No veng-**ás**
Usted	No piens-**e**	No hag-**a**	No veng-**a**
Vosotros /-as	No pens-**éis**	No hag-**áis**	No veng-**áis**
Ustedes	No piens-**en**	No hag-**an**	No veng-**an**

• **Colocación de los pronombres**

– En el imperativo afirmativo, los pronombres van detrás del verbo formando una sola palabra.
  *Levánta**te**. / Dá**selo**.*

– Pero en el imperativo negativo, los pronombres van delante del verbo.
  ***No te** levantes. / **No se** lo des.*

Así se usa

RECUERDE (→ Unidad 23, nivel Elemental)

> – Para dar instrucciones.
>
> – Para pedir cosas, justificando la petición.
>
> – Para conceder o denegar permiso.
>
> – Para llamar la atención.

- **Otros usos del imperativo**
  - Dar órdenes.

    Ven ahora mismo. / **No comas** más chocolate, ya has comido mucho.
  - Dar consejos. No siempre está clara la diferencia entre órdenes y consejos.

    Hable español todos los días para tener más fluidez.

    Leed textos en español para ampliar vuestro vocabulario.

    No tomes el ascensor, **sube** a pie para hacer ejercicio.
  - Invitar y ofrecer.

    Vengan a casa esta tarde, damos una fiesta.

    Come, come, estos bombones están buenísimos.
  - Para conceder permiso y producir un efecto de mayor cortesía o acuerdo con el interlocutor, repetimos el imperativo.

    >¿Puedo apagar la luz? Quiero dormir. < Sí, **apágala, apágala.**

¡ATENCIÓN!

- Suavizar peticiones. En este caso, añadimos expresiones como *por favor*. En contextos familiares usamos *anda* y *dale*, pero no sustituyen a *por favor*.

  Acompáñame, **anda**. / Vení conmigo, **dale**, vení. / **Anda**, pásame el pan, **por favor**.
- Para justificar peticiones o la denegación de un permiso, podemos usar *que* o *es que*.

  No te pongas hoy ese vestido, **que** quiero ponérmelo yo, **ponte** otro.

  Abre la ventanilla, por favor, **es que** me mareo en el coche.

- **Imperativos lexicalizados** (han perdido su valor gramatical y léxico).
  - **¡Anda!** Para mostrar sorpresa.

    ¡Anda! No sabía que trabajábamos en la misma empresa.

    ¡Anda! Ha desaparecido mi monedero, ¿lo has visto?

– **Anda / Venga.** Para animar a la acción, para convencer o para dar ánimo. Se prefiere *anda* si hay un solo interlocutor y *venga* si hay varios.

*Acompáñame, **anda**. / **Venga**, chicos, hay que levantarse ya. / **Anda, venga,** sé optimista.*

– **¿Diga? / ¿Dígame?** En España se emplea, generalmente, para contestar al teléfono.

> *¿Diga?* < *Buenos días, ¿puedo hablar con Pedro?*

– **Oye / Oiga, perdona / Perdone.** Para llamar la atención. Solo con las personas *tú* y *usted*.

***Perdona / perdone**, ¿para ir al Parque de Atracciones? / **Oye**, tienes una mancha en la camisa. / **Oiga**, aquí no puede aparcar el coche.*

– **¡Vaya!** Para mostrar sorpresa, generalmente no muy agradable.

*¡**Vaya**! Otra vez he perdido el bus. / ¡**Vaya**! Está lloviendo y yo sin paraguas.*

EJERCICIOS

Practique cómo se construye

1 Escriba el infinitivo de estos verbos e indique qué persona es.

1. No pongas: .... *poner, tú* ....
2. Vuelva: ....
3. No juguéis: ....
4. No digáis: ....
5. No mienta: ....

6. No oiga: ....
7. No tengás: ....
8. Pidan: ....
9. Piense: ....
10. No lea: ....

2 Complete el diálogo con la forma del imperativo y el pronombre adecuado.

1. > ¿Qué hago con los periódicos?

   < (Tú, dar) .... *dáselos* .... a Juan.

2. > ¿Tiro estos papeles?

   < Sí, pero no (tirar) .... en la basura, (tirar) .... en el contenedor de cartón.

3. > Si ves a María, (decir) .... que no he podido esperarla.

   < Vale.

4. > No localizo a David Sevilla.

   < No (buscar) .... más, se ha ido de vacaciones.

5. > No nos da tiempo a terminarlo hoy.

   < Pues (terminar, ustedes) .... mañana.

(2: 6)

3 Conteste de forma afirmativa y negativa. Ponga los pronombres necesarios. Después, escuche y compruebe. Hay varias posibilidades.

Ej.: > ¿Enciendo la tele?

< *Sí, sí, enciéndela,* que hay fútbol. // *No, no la enciendas,* ¡qué rollo la tele!

1. > ¿Tomo el metro para ir a la Puerta del Sol?

< ...., es lo más rápido. // ....; la línea está cortada.

2. > Voy a comprar el pan.

< Sí, anda, ..., por favor. // ...., no hace falta.

3. > ¿Sigo recto?

< .... // .... porque te puedes perder.

4. > ¿Le devuelvo los apuntes a Silvia?

< ...., que tiene un examen. // ...., no los necesita.

5. > Oiga, ¿le digo a Ángela ya que el viernes hacemos una fiesta?

< .... ya, que hoy ya es miércoles. // .... todavía.

4 Transforme los infinitivos en imperativos con los pronombres necesarios.

> Consejos para perder amigos

1. No llamar nunca ni escribir mensajes. → ....*No. los. llames. nunca. ni. les. escribas. mensajes.*....
2. Hacer preguntas indiscretas. → ....
3. No interesarte por sus problemas. → ....
4. Discutir con ellos por dinero. → ....
5. No guardar sus secretos. → ....
6. No ser sincero /-a con ellos. → ....

Practique (cómo se usa)

5 Clasifique estos enunciados en consejos, invitaciones, órdenes, instrucciones y ofrecimientos.

1. Siga todo recto por el pasillo, baje las escaleras y a la derecha está la cafetería. .*instrucción*.
2. Tome otro pastelito, están deliciosos. ....
3. No vayas en coche a Madrid, hay un tráfico impresionante. ....
4. Pasen, por favor, no se queden en la puerta. ....
5. Venga, tira ahora mismo ese montón de papeles o los tiro yo. ....
6. Si te duele tanto esa muela, ve al dentista de una vez. ....
7. Introduzca el dinero, seleccione el producto y apriete este botón. ....
8. ¡Cuidado! No te sientes ahí, está muy sucio. ....

6 Complete usando alguno de estos imperativos lexicalizados. Escuche y compruebe.

(2: 7)

> oiga / anda / diga / perdone / venga / perdona / vaya

1. ....*Venga*...., reaccionen, que parecen estatuas.
2. ...., no pienses más en eso.
3. .... la panadería está cerrada y yo sin pan.
4. Apagad el ordenador, ... Ya es hora de irse.
5. .... ¡Te has cortado el pelo! Pues así no te había conocido.
6. ...., por favor, ¿me podría traer otra botella de agua?
7. ¿Sí? ¿.................? Hola, Reyes, Violeta no está en este momento.
8. ...., ¿tiene el periódico de ayer?
9. ...., llevas la chaqueta del revés.

7 Escriba las órdenes más repetidas por los padres a sus hijos de 12 años.

> *los deberes* / la música / la habitación / casa / la tele / con el ordenador / palabrotas

1. *Haz los deberes.* 2. No poner _____ tan alta.
3. Recoger _____. 4. No volver tarde a _____. 5. No ver tanto _____.
6. No estar tanto tiempo con _____. 7. No decir _____.

8 Relacione ambas columnas.

1. ¿Abro la ventana?
2. ¿Compro leche?
3. Vente a comer a casa.
4. Anda, venga, cómprame el periódico, por favor.
5. ¿El parque de El Retiro, por favor?
6. No le cuentes a la profe lo que ha pasado.

a. No, no la compres, que hay en el armario.
b. Vale, ¿cuál quieres?
c. Sí, ábrela, ábrela, hace mucho calor.
d. Siga todo recto y lo verá enseguida.
e. ¿Y qué le digo si me pregunta?
f. ¡Ay! Muchas gracias, ¡qué amable!

M I S   C O N C L U S I O N E S

9 Marque verdadero (V) o falso (F).

a. En el imperativo negativo los pronombres van delante del verbo: ......
b. El imperativo de *usted* es diferente en afirmativo y negativo: ......
c. ¡*Vaya*! no expresa sorpresa: ......

19 Ni contigo ni sin ti

ORACIONES COORDINADAS: COPULATIVAS, ADVERSATIVAS Y DISYUNTIVAS

¡ FÍJESE !

(2: 8)

Pepe está muy mal. No duerme **ni** de noche **ni** de día.

¿Estudias **o** trabajas?

A mí **no** me gusta invertir en bolsa **sino** en coches.

Así se construye

NEXOS COORDINANTES

- **En oraciones copulativas: y, e, *ni***

  Unen palabras u oraciones.

    *Tenemos que comprar lechuga, tomates **y** pepinos.*

¡ATENCIÓN!

Y > E cuando la palabra siguiente empieza por **i- / hi-** (excepto cuando forma un diptongo).

    *Javier ha venido a las 9:00 **e** Isabel ha llegado a las 10:00.*

    *Detesto a las personas tacañas **e** hipócritas.*

    *La mesa es de cristal **y** hierro.*

  – **Ni** puede aparecer en una frase con el verbo negado por *no* u otro adverbio de negación. En ese caso va detrás del verbo y no es obligatorio que aparezca delante del primer elemento.

    *Mariana **no** come (ni) carne **ni** pescado.*
    *Ellos **nunca** van (ni) al cine **ni** al teatro. Son muy caseros.*

  También puede ir delante del verbo cuando este no va negado por *no* u otro adverbio de negación; en este caso, es obligatorio repetir la conjunción *ni* delante de cada elemento de la serie: ***Ni** tú **ni** yo tenemos la culpa.*

- **En oraciones adversativas:** *pero, sino, aunque*
  - **Pero**

    Une oraciones, adjetivos, adverbios y locuciones adverbiales.

    > *Ha venido, **pero** ha llegado tarde.*
    >
    > *Ese coche es estupendo **pero** muy caro.*
    >
    > *Trabajamos poco **pero** bien / a fondo.*

  - **Sino**

    Une sustantivos, adjetivos, adverbios e infinitivos. Debe llevar delante una negación.

    > ***No** es un libro **sino** una revista.*
    >
    > *A mí **no** me parece guapo, **sino** muy atractivo.*
    >
    > ***No** vive aquí cerca **sino** muy lejos.*
    >
    > ***No** vine a divertirme **sino** a trabajar.*

    ## ¡ATENCIÓN!

    No se puede sustituir por *pero*: **No es un libro pero una revista.*

  - **Aunque**

    Es conjunción coordinante cuando puede ser sustituida por *pero*. Se usa en un registro menos coloquial. A veces se sobreentiende un verbo en indicativo.

    > *Todo esto es interesante **aunque** / pero difícil.*
    >
    > *Tengo muchos libros **aunque** / pero no (los tengo) aquí.*

- **En oraciones disyuntivas:** *o*

  La conjunción **o** puede ir delante de todos los elementos que coordina excepto en las preguntas.

  > ***O** salimos ahora mismo **o** ya no salimos. / Salimos ahora **o** ya no salimos.*
  >
  > *Llegará en enero **o** en febrero, creo.*
  >
  > **¿O te sirvo vino blanco **o** tinto? → ¿Te sirvo vino blanco **o** tinto?*

  ## ¡ATENCIÓN!

  O > U cuando la palabra siguiente empieza por *o-* / *ho-*.

  > *¿Hoy es diez **u** once? / ¿Te doy un cuaderno **u** hojas sueltas?*

Las **oraciones distributivas** son aquellas que tienen dos partes introducidas por los pronombres *uno / una / unos / unas... otro / otra / otros / otras,* que hacen referencia a una palabra mencionada previamente o que se presupone en el contexto.

> *Vienen todas <u>mis amigas</u>: **unas** llegan hoy y **otras** mañana.*

- Pueden llevar preposición delante.

  > *El problema es difícil de resolver: **para unos** es una cuestión de dinero, **para otros** es una cuestión de solidaridad.*

- Pueden llevar nexo coordinante o no.

Así se usa

Las oraciones coordinadas se componen de dos o más oraciones que son independientes entre sí. Pueden ser de varios tipos.

• **Copulativas.** Añaden una frase a otra.

Y: suma hechos o acciones; por eso, tambien se usa al final de las enumeraciones.

*Estoy muy enfadada **y** me voy ahora mismo.*

Ni: implica o supone una negación.

No ha venido Jon. Tampoco me ha llamado. → ***Ni** ha venido Jon **ni** me ha llamado.*

• **Adversativas**

– Con **pero** y **aunque** se establece un contraste o una restricción con relación a lo dicho anteriormente.

*Estamos en diciembre **pero / aunque** no hace frío.*

*Me ha gustado el libro **pero / aunque** no demasiado.*

– Con **sino** se da la información correcta después de negar algo.

*No ha venido Carmen **sino** Clara.*

*No, a mí no me gusta cantar **sino** bailar.*

• **Disyuntivas**

– Cuando la conjunción **o** va delante de todos los elementos que coordina, expresa una exclusión mayor; solo se puede elegir una de las alternativas.

***O** me tomaría una tarta **o** (me tomaría) un helado. / Me tomaría **o** una tarta **o** un helado.* (Uno de los dos exclusivamente).

***O** vas **o** vienes, no puedes hacer las dos cosas a la vez.*

– Cuando la **o** no va delante de todos los elementos, la exclusión es menor y puede excluir algún elemento ya mencionado u otras posibilidades diferentes.

*Voy en metro **o** en autobús.* (Puedo ir en metro o en autobús, pero no en taxi...).

– A veces, la conjunción **o** implica un valor condicional, con posibilidades excluyentes. Tiene un leve matiz de amenaza:

***O** pagas **o** lavas los platos.* (Si no pagas, lavas los platos).

– En otras ocasiones, indica equivalencia.

*El Carcharodon carcharias **o** tiburón blanco vive en aguas profundas.*

EJERCICIOS

Practique cómo se construye

1 Ordene y forme oraciones.

Ej.: *ni Emilio / Hoy / no / ni Ricardo / vienen* →

→ *Hoy no vienen ni Ricardo ni Emilio.*

1. con Rina / ella también irá / He hablado / y / dice que / al cine

   ....

2. ¿o / al Museo del Prado / al Reina Sofía / Vamos?

   ....

3. Fran / de la familia, / ¿no? / son los más pequeños / Irene / e

   ....

4. pasteles / no puede comer / nada de grasa / Está con dieta estricta: / ni

   ....

5. por las mismas cosas / se puede / reír / A veces / o llorar

   ....

2 Subraye la respuesta adecuada.

1. > Vino Jesús, ¿no?

   < No, no vino Jesús *pero* / *sino* Vicente.

2. > ¿Has leído la última novela de Julia Navarro?

   < No, la tengo, *pero* / *sino* no la he leído.

3. > ¿Compraste fruta?

   < No, no compré fruta *pero* / *sino* dulces.

4. > ¿Has hecho los deberes de español?

   < No tenía deberes, *pero* / *sino* he estado estudiando.

5. > ¡El Real Madrid ganó el domingo por tres goles!

   < No ganó por tres *pero* / *sino* por cuatro.

3 **Complete con *y, e, ni, o, u.***

Ej.: > *¿Qué necesitas: un bolígrafo **o** un lápiz?* < *Un lápiz.*

1. > ¿Quiénes vienen?

< Isabel ...... Pedro.

2. > ¿Cuántas palabras hay que escribir para el trabajo: quinientas ...... ochocientas?

< ¡Quinientas! Y a mí ya me parecen muchas.

3. > No he comprado ...... los calamares ...... las gambas.

< Bueno, pues luego voy yo al supermercado.

4. > ¿Quién ha llamado?

< Pues no sé, Javier ...... Óscar, uno de los dos.

5. > ¿Has terminado ya?

< No, no he terminado todavía ...... voy a terminar hoy. No me da tiempo.

6. > He leído la novela de Dan Brown ...... la de Javier Sierra sobre el cuadro de Da Vinci?

< ¿Y cuál te gustó más?

Practique (cómo se usa)

4 **Relacione.**

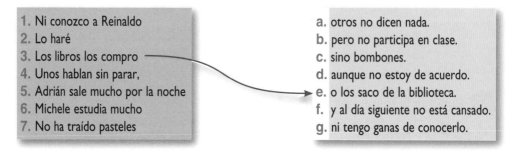

1. Ni conozco a Reinaldo	a. otros no dicen nada.
2. Lo haré	b. pero no participa en clase.
3. Los libros los compro	c. sino bombones.
4. Unos hablan sin parar,	d. aunque no estoy de acuerdo.
5. Adrián sale mucho por la noche	e. o los saco de la biblioteca.
6. Michele estudia mucho	f. y al día siguiente no está cansado.
7. No ha traído pasteles	g. ni tengo ganas de conocerlo.

(2: 9)

5 **Una un elemento de cada columna para formar una sola oración y escríbala. Escuche y compruebe.**

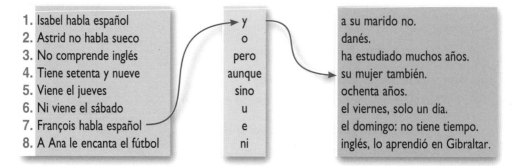

1. Isabel habla español	y	a su marido no.
2. Astrid no habla sueco	o	danés.
3. No comprende inglés	pero	ha estudiado muchos años.
4. Tiene setenta y nueve	aunque	su mujer también.
5. Viene el jueves	sino	ochenta años.
6. Ni viene el sábado	u	el viernes, solo un día.
7. François habla español	e	el domingo: no tiene tiempo.
8. A Ana le encanta el fútbol	ni	inglés, lo aprendió en Gibraltar.

(2: 10)

6 Una estas frases formando una sola utilizando *unas... otras, o, pero, sino, ni.* Escuche y compruebe.

1. No nos gustan las carreras de coches. No nos gusta el motociclismo.
.... *No nos gustan (ni) las carreras de coches ni el motociclismo.* ....

2. No ha ganado el equipo del Real Madrid de fútbol. Ha ganado el equipo del Real Madrid de baloncesto.
....

3. Viaja mucho a Liverpool. No habla inglés.
....

4. Estudia. Trabaja. No hace las dos cosas a la vez.
....

5. Unas chaquetas son para sus hijas. Unas chaquetas son para sus sobrinas.
....

7 Indique cuál de estas frases expresa: restricción, corrección, amenaza, selección, exclusión.

Ej.: *No habíamos quedado el lunes sino el miércoles.* → **corrección.**

1. O pagas la multa a tiempo o tienes que pagar el doble: ....
2. Me he comido todo lo que me han puesto, pero no me ha gustado: ....
3. No ha estudiado nada sino que ha tenido mucha suerte: ....
4. O te quedas o te vas, las dos cosas son imposibles: ....
5. Por mí puedes hacer lo que quieras: irte o quedarte: ....
6. Hoy he madrugado aunque no mucho: ....
7. No solo no lo despidieron del trabajo sino que le aumentaron el sueldo: ....

M I S   C O N C L U S I O N E S

8 Marque verdadero (V) o falso (F).

a. Delante de *hijo* usamos la conjunción *e:* ......
b. La conjunción *o* expresa una negación: ......
c. Las cláusulas distributivas se forman con *este, ese, aquel:* ......
d. *Pero* y *sino* se usan para expresar lo mismo: ......
e. *O te callas o te vas* tiene valor de amenaza: ......

9 Elija la respuesta adecuada.

1. El sábado *y / o* el domingo llega Susan a Madrid.
2. Entiende inglés *pero / y* no lo habla bien.
3. Unos comen, *otros / o* beben, pero todos se divierten.

20 *Cuando llegué, no había nadie*

ORACIONES TEMPORALES CON INDICATIVO E INFINITIVO: LA EXPRESIÓN DEL TIEMPO

¡FÍJESE!

(2: 11)

Ella **prepara** la ensalada **mientras** él **pone** la mesa.

Nada más salir del coche, **me metí** en un charco.

Así se construye

- **Las oraciones temporales con indicativo** se refieren al presente o al pasado (cuando se refieren al futuro, se usa el subjuntivo → Unidad 27). Se construyen con presente, pretérito perfecto, pretérito indefinido, pretérito imperfecto y pluscuamperfecto.

| Cuando
Mientras
Hasta que
Después de que
En cuanto
Siempre que | + **verbo en indicativo** + oración | ***Cuando*** *estoy en clase, pongo el móvil en silencio.*
Cuando *he comprado el móvil, me han regalado la funda.*
Cuando *compré el móvil, me regalaron la funda.*
Cuando *estaba en clase, ponía el móvil en silencio.* |

Pero pueden variar este orden. Compare los ejemplos:

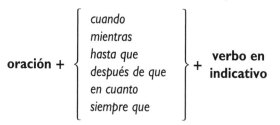

oración +
| cuando
| mientras
| hasta que
| después de que
| en cuanto
| siempre que |
+ **verbo en indicativo**

*Empezamos a comer **cuando** llegaron.*

*Te hice esta foto **mientras** instalabas los programas del ordenador.*

*Te llamé al trabajo **cuando** ya te habías ido.*

● **Construcciones temporales con infinitivo**

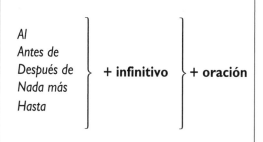

Al
Antes de
Después de
Nada más
Hasta
+ **infinitivo** + **oración**

***Al salir** de casa vi a Juan. / Vi a Juan **al salir** de casa.*

***Antes de** salir de casa, compruebo si llevo las llaves. / Compruebo si llevo las llaves **antes de** salir de casa.*

***Nada más** salir de casa, empezó a sonar el teléfono. / Empezó a sonar el teléfono **nada más** salir de casa.*

*He visto a Juan **después de** salir del trabajo. / **Después de** salir del trabajo, he visto a Juan.*

También, al igual que las construcciones con indicativo, se refieren al presente o al pasado.

Así se usa

(→ Unidad 27)

Las oraciones temporales con indicativo relacionan dos momentos del presente entre sí y dos momentos del pasado entre sí; de esta forma expresan **anterioridad, simultaneidad** y **posterioridad**, dependiendo de los tiempos verbales y del significado del conector. (→ Unidades 12, 13, 14 y 15).

● CUANDO. Es el conector más común. Une dos hechos que pueden ser simultáneos, anteriores o posteriores entre sí. También une una acción en desarrollo con otra que la interrumpe o modifica.

– Para indicar que un hecho es **anterior** al otro en el presente o en el pasado.

   ***Cuando sonó** el timbre, todos **salimos** corriendo* (1.º sonó el timbre, luego salimos corriendo).

– Para expresar que los hechos (dos o más) ocurren al mismo tiempo, es decir, para expresar **simultaneidad.**

   ***Estaba muy concentrada cuando sonó** el teléfono* (las dos acciones: 'estar muy concentrada' y 'sonar el teléfono' suceden a la vez).

– Para hacer referencia a un momento que se repite en el tiempo con carácter de hábito.

Cuando estoy muy cansado, me doy un baño de espuma (expresa una relación de costumbre entre dos hechos: 'estar cansado' y 'darse un baño').

– Para indicar que un hecho es **posterior** al otro en el presente o en el pasado.

Cuando llegué, la película ya había empezado.

• MIENTRAS. Expresa que los hechos (dos o más) ocurren al mismo tiempo; son simultáneos.

Mientras tú preparas la ensalada, yo pongo la mesa (las dos acciones: 'preparar la ensalada' y 'poner la mesa' suceden a la vez).

• EN CUANTO; TAN PRONTO COMO + verbo conjugado / NADA MÁS + infinitivo.
Añaden el matiz de inmediatez al momento en el que ocurre algo. Se refieren siempre a un hecho inmediatamente anterior a la acción principal.

Se puso el cinturón en cuanto subió al coche. (1.° se subió al coche, 2.° se puso el cinturón).

Nada más subir al avión, se me estropeó el móvil.

• HASTA QUE + verbo conjugado / HASTA + infinitivo. Expresa el momento límite.

Nos quedamos allí hasta que nos dieron una explicación.

Vamos a quedarnos hasta terminar la unidad de los adverbios.

• SIEMPRE QUE. Expresa una relación de recurrencia entre dos hechos, Significa 'todas las veces que'.

Siempre que me llamas, estoy conduciendo. ¡Qué casualidad!

• ANTES DE + infinitivo o sustantivo. Expresa que un hecho es anterior al otro en el presente o pasado.

Piensa bien las cosas, antes de decirlas. / Antes del descanso, tuvimos Matemáticas.

• DESPUÉS DE + infinitivo o sustantivo. Expresa que un hecho es posterior al otro en el presente o pasado.

Después de ir al cine, cené. / Después de la pausa, tengo Historia.

• AL + infinitivo (equivale a CUANDO + verbo conjugado)

Al salir del metro, me encontré con ella. = Cuando salía del metro, me encontré con ella.

¡ATENCIÓN!

Cuando expresa **anterioridad** con pretérito indefinido, **simultaneidad** con pretérito imperfecto y **costumbre** con presente e imperfecto.

Cuando **llegué** a casa, te fuiste a dormir.   = Al llegar a casa, te fuiste a dormir.

Cuando **salía** de casa, entrabas en el garaje.   = Al salir de casa, entrabas en el garaje.

Cuando **llego** a casa, me pongo las zapatillas. = Al llegar a casa, me pongo las zapatillas.

EJERCICIOS

Practique (cómo se construye)

1 Ordene estas frases.

Ej.: *llovía / he salido / Cuando → Cuando he salido, llovía.*

1. en Portugal / viví, / aprendí / Mientras / portugués.

....

2. hasta que / Estuvimos esperando / llegó.

....

3. a mi vecino / veo / para el trabajo / Cuando / salgo.

....

4. Nada más / de la noticia, / llamé / enterarme / a todo el mundo.

....

5. dieron / a la exposición / nos / unos auriculares / Al llegar.

....

2 Transforme estas frases sin cambiar el significado. Fíjese en el ejemplo.

Ej.: *Me lo regalaron al comprar la colonia. → Me lo regalaron cuando compré la colonia.*
Cuando compré la colonia, me lo regalaron. → Me lo regalaron al comprar la colonia.

1. Al volver a casa, siempre paso antes por el supermercado.

....

2. Nada más ver a Pedro, me acordé de la cita que teníamos.

....

3. No teníamos reserva; pagamos la entrada cuando llegamos.

....

4. En ese país son muy acogedores; nada más bajar del avión te ponen un collar de flores.

....

5. Cuando encendí la computadora, me di cuenta de que tenía un virus.

....

3 **Subraye el nexo adecuado. Escuche y compruebe.**

(2: 12)

1. > Ayer estuve en la biblioteca *hasta que* / *cuando* / *antes de* salió Carlos de clase.
   < ¡Ah! Pensaba que ya no salías con Carlos.

2. > *Cuando* / *mientras* / *antes de* salir de casa, compruebo que todo está bien cerrado.
   < Yo también.

3. > ¿Sabes a quién me he encontrado *al* / *en cuanto* / *mientras* salir del metro? Pues a Ángel, estaba esperando a Lola.
   < ¿Y qué te ha contado?

4. > ¿Os ha dado tiempo a terminar el trabajo?
   < Sí, porque *mientras* / *hasta que* / *cuando* Tedy iba buscando la información, yo la iba pasando al ordenador.

5. > A todos nos gusta recibir felicitaciones *cuando* / *al* / *hasta que* trabajamos bien.
   < Sí, es verdad.

Practique ⏜cómo se usa⏝

4 **Una las frases usando *en cuanto, cuando, hasta que, mientras, después de* y *antes de*.**

1. Mercedes llegó a las siete. Yo me fui a las siete.
   En cuanto llegó Mercedes, yo me fui.......................................

2. José Manuel limpiaba los cristales. Yo, al mismo tiempo, pasaba la aspiradora.
   ....

3. En primer lugar, desayuno. Luego, me ducho.
   ....

4. Esperamos a Juan. Juan llegó tarde.
   ....

5. Llamó Isabel. Yo estaba trabajando en el ordenador.
   ....

5 **Complete este diálogo con *cuando, al, mientras, hasta que* y *nada más*. Escuche y compruebe.**

(2: 13)

> Oye, ¿sabes qué le ha pasado a Paco? Me han dicho que ha estado ingresado.

< Pues que el otro día fue a hacer senderismo y .... estaba bajando por una pendiente se resbaló, se torció un tobillo y tuvo que andar muy despacio y, ... anochecer, se perdió. Llamó al 112 y se cobijó bajo un árbol .... lo encontraron. .... llegar al hospital, le dijeron que tenían que hacerle pruebas. Y estuvo ingresado .... le hicieron las radiografías.

-138-

6 Forme enunciados lógicos con elementos de las tres columnas.

1. Hay que llamar a los bomberos
2. Hay que apagar y volver a encender el ordenador
3. Hay que cocer la pasta
4. No hay que abrir el capó del coche
5. Hay que quitarse los zapatos
6. Hay que lavarse las manos

al
cuando
hasta que
mientras
nada más
antes de
siempre que
en cuanto
hasta (que)

está "al dente".
entrar en una mezquita.
comer.
se cuelga.
el motor está encendido.
vemos humo en un bosque.

7 Complete con la forma adecuada de uno de estos verbos.

| empezar | levantarse | pasar | terminar | llegar | preparar |

1. > ¿Qué has comprado?
   < Napolitanas, cuando .... por la pastelería, siempre las compro.
2. > ¿Por qué no pones la mesa mientras yo .... algo para cenar?
3. > Yo trabajé en esa compañía hasta que .... aquí.
4. > ¿Visteis ayer la película?
   < No, porque cuando ...., ya se habían agotado las entradas.
5. > ¿Qué es lo primero que haces todos los días al ....?
   < ¿Yo? Voy al cuarto de baño.
6. < ¿Escuchaste ayer al conferenciante japonés?
   < No pude porque tenía mucha prisa. Tan pronto como .... el conferenciante anterior, me marché.

M I S   C O N C L U S I O N E S

8 Marque verdadero (V) o falso (F).

a. *Nada más* y *en cuanto* significan inmediatez: ......
b. *Cuando* puede llevar infinitivo o no: ......
c. Detrás de *antes de* y de *después de* siempre hay un infinitivo: ......

9 Complete estas frases.

1. Después de *hasta* puede ir un .... o un ...., pero después de *hasta que* puede ir un verbo en .... o en ....
2. Después de *al* siempre hay un ....

21 Porque me gusta así
ORACIONES CAUSALES

Voy a calentar el café **porque** está frío ya.

No, déjalo, **como** tengo calor, lo prefiero así, frío.

Así se construye

- **¿Por qué?**
  - Se escribe en dos palabras y con tilde en *qué*.
    *¿**Por qué** no sales esta noche?*

- **Porque**
  - Se escribe en una sola palabra y sin tilde.
  - Hecho / acción / situación + *porque* + expresión de la causa.
    *No aparques aquí **porque** está prohibido.*

- **Por** + infinitivo / sustantivo / adjetivo
  - Hecho / acción / situación + *por* + expresión de la causa.
    *Le quitaron puntos del carné de conducir **por ir** a 150 km por hora.*
    *Hemos cerrado las ventanas **por el frío.***
  - Por + expresión de la causa + hecho / acción / situación o viceversa.
    Por vago** has suspendido. / Has suspendido **por vago.

- **Como**
  - *Como* + expresión de la causa + hecho / acción / situación.
    ***Como** te acuestas tarde, siempre llegas cansado al trabajo.*

Así se usa

- ¿**Por qué** + frase en indicativo?
  - Se usa para preguntar la causa.

    ¿**Por qué tienes** todas las luces encendidas?

- **Porque** + frase en indicativo
  - Se usa para explicar la causa.
  - Suele aparecer en segundo lugar, como justificación o causa de la acción.

    > ¿Por qué tenemos que ayudarlo ahora? < **Porque** él nos ayudó antes.

    No salgo esta noche **porque** tengo examen mañana.

- **Por** + infinitivo
  - Suele usarse para explicar la causa cuando el sujeto de los dos verbos es el mismo.

    (Él) Suspendió **por no estudiar** (él) nada.

- **Por** + sustantivo / adjetivo
  - Suele usarse con adjetivos de significado negativo.

    Llegarás tarde **por el tráfico.** / Eso me pasa **por tonta.**

- **Como** + frase en indicativo
  - Se usa para presentar la causa; por eso suele ir al principio del enunciado, delante de la oración principal.

    Como hace mal tiempo, abrígate bien.

E J E R C I C I O S

Practique cómo se construye

1 Transforme estas frases según el ejemplo.

1. No vamos a jugar al fútbol porque está lloviendo.
   (Como) .... *Como está lloviendo, no vamos a jugar al fútbol.* ....
2. No ha visto el partido de fútbol por tener una reunión a esa hora.
   (Como) ....
3. Como está enfermo, no ha venido a clase.
   (Por) ....
4. Como está rebajado, voy a comprarme el abrigo que me gustaba.
   (Porque) ....
5. No ha podido entrar al concierto por llegar tarde.
   (Como) ....

2 **Subraye la causa en los siguientes enunciados.**

1. Como había mucha gente, no pudimos acercarnos a Enrique Iglesias.
2. Se ha puesto mala por comer tanto marisco.
3. Fui a Madrid porque quería ver el *Guernica*.
4. He comprado esta novela porque la ha escrito un amigo mío de la juventud.
5. Como no había ido a clase en todo el trimestre, suspendí el examen.
6. No han ido a la playa por la lluvia.

(2: 15)

3 **Escuche o lea la pregunta y relaciónela con la respuesta. Después, complete las oraciones. Escuche y compruebe.**

1. ¿*Por qué* te enfadas?
2. ¿............ estás tan cansada?
3. ¿............ no fuiste al concierto?
4. ¿............ no te compraste el vestido?
5. ¿............ no comiste ayer?
6. ¿............ no vino Luis a la cena?
7. ¿............ no fuiste a la fiesta?

A. .... no duermo bien últimamente.
B. .... no me quedaba bien.
C. *Porque* no me gusta tu comportamiento.
D. .... no me gustan las fiestas de empresa.
E. .... me dolía el estómago.
F. .... el dolor de cabeza que tenía.
G. .... la entrada era carísima.

Practique cómo se usa

(2: 16)

4 **Complete con *por qué*, *porque*, *por* y *como*. Escuche y compruebe.**

1. > ....*Como*.... ayer no vine a clase, hoy casi no he entendido nada.
   < Sí, claro, es normal.
2. > ¿Ha puesto el aire acondicionado en casa?
   < Sí, ... el calor; es que no lo soporta.
3. > ¿Está mejor Pedro?
   < Sí, ... sabía que ayer le sentó mal la comida, lo he llamado y ya está mejor.
4. > .... la semana pasada fuimos al cine, esta semana hemos ido al teatro.
   < ¿Y os gustó la obra?
5. > ¿............... no has hecho el gazpacho?
   < .... no tenía tomates.

5 **Relacione estas oraciones con *como* y con *porque*. Fíjese en el ejemplo.**

Mañana es fiesta.	Mañana no hay clase **porque** es fiesta.
Mañana no hay clase.	**Como** *mañana es fiesta, no hay clase.*

1.

El próximo año mis padres harán una gran fiesta.
El próximo año mis padres celebran sus bodas de oro.

2.

Vamos a celebrar el cumpleaños en casa de Cecilia.
La casa de Cecilia tiene jardín, barbacoa y piscina.

3.

Estoy buscando un intercambio de conversación.
Quiero aprender la lengua y conocer gente.

6 **Lea estos dos textos y relacione las frases estableciendo la causa de los hechos.**

1. Pablo ha tenido un accidente y está herido. Lo llevaron enseguida al Hospital Central y lo
atendieron inmediatamente. Allí tienen buenos médicos. Su familia está tranquila.

*Pablo está herido **porque ha tenido un accidente...***

....

....

2. Meli y yo nos conocemos muy bien, casi desde que empezamos a ir al colegio. Ahora nos
vemos menos. Vivimos en ciudades diferentes. Somos muy amigas y tratamos de mantener el contacto. Usamos el correo electrónico, nos gusta más que los mensajes por el
móvil (no podemos escribir mucho). ¡Nos gusta tanto contarnos todo lo que nos pasa!

....

....

....

....

MIS CONCLUSIONES

7 **Marque verdadero (V) o falso (F).**

a. *Como* no suele ir detrás de la oración principal: ......
b. *Por* lleva siempre infinitivo: ....
c. *Por qué* y *porque* tienen el mismo uso: ......

8 **Elija la opción correcta.**

1. Llegó tarde *por* / *porque* el tráfico.
2. *Por qué* / *como* había mucho tráfico, llegó tarde.

Si quiere disfrutar, viaje con nosotros

ORACIONES CONDICIONALES CON SI

FÍJESE!

(2: 17)

> SI QUIERE DISFRUTAR DE SUS VACACIONES Y NO PAGAR DEMASIADO VIAJE CON NOSOTROS

¿Qué vais a hacer este verano?

*Si **encontramos** una buena oferta, **iremos** a Egipto.*

Jon trabaja en una agencia de viajes; si quieres, me entero y te aviso.

Así se construye

- **Si** + presente de indicativo +
  - presente
  - *ir a* + infinitivo
  - futuro

  ***Si** quieres, me entero y te aviso.*
  ***Si** tenemos dinero, vamos a hacer un crucero por las islas griegas.*
  ***Si** acabamos el libro antes de verano, haremos un viaje a Grecia.*

- **Si** + presente de indicativo +
  - imperativo
  - *tener que* + infinitivo

  ***Si** no entiendes, pregunta todas tus dudas.*
  ***Si** llegas antes que nosotros, tienes que esperar.*

La oración condicional puede ir antes o después de la principal.

  ***Si** tenemos dinero, vamos a Grecia este verano.*
  *Vamos a Grecia este verano **si** tenemos dinero.*

¡ATENCIÓN!

Si + ~~futuro~~ → **Si** + presente de indicativo.

  *Si **encontraremos** una buena oferta... → Si **encontramos**...*

Así se usa

- **Si** + presente de indicativo se usa para expresar una condición real o posible referida al presente o al futuro.

    Si está lloviendo, *nos vamos en coche.*

    Si tenemos *dinero este verano, haremos un viaje a Grecia.*

    – Expresa la condición para que ocurra algo en el futuro: plan, predicción, acción, etcétera. (→ Unidad 16)

    Si tenemos *dinero este verano, vamos / vamos a ir / iremos a Grecia.* (Plan)

    Si dejas *de fumar pronto, te vas a encontrar mucho mejor.* (Predicción)

    Si hace *mucho calor, la comida enseguida se pone mala.* (Acción)

    – Con imperativo y *tener que* + infinitivo expresamos consejos, órdenes e instrucciones que son necesarios para que se cumpla la condición o que, por el contrario, dependen de la condición para que se cumpla.

    Si quieres *sacar buenas notas,* **tienes que** *estudiar más.*

    Si tienes *dinero,* **cómprate** *el vestido. Es muy bonito.*

EJERCICIOS

Practique cómo se construye

1 **Complete estas frases. Escuche y compruebe.**

(2: 18)

Ej.: *Si (yo, hablar)* ......*hablo*...... *con Lola, te llamo y te cuento.*

1. Si (llover) ...., no subiremos a la montaña.

2. Si (a ti, dolerte) .... la cabeza, cierra los ojos un rato.

3. Si (tú, querer) .... conocer gente, tienes que salir más.

4. Si (a usted, gustarle) .... la comida española, no vaya a restaurantes turísticos.

5. Si no (vos, estudiar) ...., no aprobarás.

2 **Complete este texto.**

Si (encontrar) ....*encuentro*... un buen trabajo, ganaré mucho dinero. Si (ganar) .... mucho dinero, viajaré mucho. Si (viajar) .... mucho, conoceré a mucha gente y me (comprar) .... una casa. Si (conocer) .... a mucha gente, encontraré a mi media naranja. Si (encontrar) .... a mi media naranja, (casarse) .... Si (casarse) ...., tendré hijos. Si (tener) .... muchos hijos, tendré que trabajar demasiado. Entonces, ¿tengo que encontrar un buen trabajo y ganar mucho dinero?

3 Complete estas frases utilizando *tener que,* el futuro o el imperativo.

1. Si vais a Perú, (probar) ..*tenéis que probar / probad*... el cebiche.
2. Si salimos esta noche de copas, no (salir) .... mañana.
3. Si tienes dolor de estómago, (hacer) .... dieta blanda.
4. Si tengo tiempo, (ir) .... a la escuela a mirar las notas.
5. Si ves a José Luis, (dar a él) .... mi teléfono, por favor.
6. Si no queréis molestar a nadie, (decir) .... las cosas con mucho tacto.

Practique *cómo se usa*

4 Relacione y escriba la frase condicional. Escuche y compruebe.

(2: 19)

1. Doler la cabeza	doler muelas
2. Querer tener amigos	tomarse aspirina
3. Ir a Segovia	estar cansado en clase
4. Comer mucho dulce	aprender sin darte cuenta
5. Salir mucho por la noche	visitar el Alcázar
6. Gustar leer	ser amable y generoso

1. .... *Si te duele la cabeza, tómate una aspirina.*...............................
2. ....
3. ....
4. ....
5. ....
6. ....

5 Complete con la condición adecuada.

1. ....*Si quieres aprender español*........, habla en español y escucha música en español.
2. ...., no iremos al parque y cogeremos el paraguas.
3. ...., pregúntale al profesor o busca la palabra en el diccionario.
4. ...., tienes que bajar las persianas.
5. ...., paso a buscarte en mi coche y dejas alguna (maleta) en casa.
6. ...., toma menos cafés y tómate un baño relajante.

6 **¿Qué diría en estas situaciones?**

(A mi novio le encantan las margaritas. ¿Estará abierta ahora la floristería?).

1. Si  *está abierta ahora la floristería, le compraré un ramo de margaritas a mi novio.*

(Luis no sabe que hay una fiesta y tiene que saberlo. Tú puedes avisarlo porque a lo mejor hablas con él).

2. Si ....

(Para usted, el aire acondicionado es imprescindible en la habitación de un hotel).

3. Si ....

(Eres oftalmóloga. Tu cliente lleva gafas y le aconsejas usar lentillas para ver mejor).

4. Si ....

(Los abuelos de tu amiga duermen mal. Has oído que el taichí es un buen ejercicio para la tercera edad).

5. Si ....

(Tu madre tiene muchas plantas. Hace mucho calor. O las riega o se mueren).

6. Si ....

M I S   C O N C L U S I O N E S

7 **Marque verdadero (V) o falso (F).**

a. Cuando usamos *SI* siempre hablamos del presente: ......

b. La oración *Si hace mal tiempo, me quedo en casa* puede referirse al futuro: ......

c. Para referirnos al futuro, no podemos usar *SI* + futuro simple: ......

8 **Elija la opción correcta.**

1. Si tienes examen:

   a. te acostarás pronto;

   b. acuéstate pronto.

2. Si cenas mucho:

   a. no dormirás bien;

   b. no duermas bien.

3. Trae ropa de abrigo,

   a. si vendrás a Madrid en invierno.

   b. si vienes a Madrid en invierno.

¡FÍJESE!

(2: 20)

Oye, cariño, que estoy en un atasco.

Ya..., **o sea que** llegas tarde, ¿no?

Así se construye

– Normalmente la consecuencia se expresa en la segunda parte del enunciado, separada de la primera parte por una coma.

> *Estoy muy cansado,* **así que** *me voy a acostar pronto.*

– Estructura

Oración 1 + locuciones / conectores consecutivos + oración 2 $\begin{cases} \text{en presente} \\ \text{en pasado} \\ \text{en futuro} \\ \text{en imperativo} \end{cases}$ indicativo

– Locuciones / conectores que expresan consecuencia:

> *así que, o sea que, por eso, por (lo) tanto, entonces, de modo que, de manera que* (en contextos más formales).

Así se usa

- Las oraciones consecutivas sirven para:

  – Expresar consecuencia o deducción subjetiva.

  *Mañana tengo dentista, **así que** saldré un poco antes.*

  > *¿Me acompañas al mercado o no?*

  < *Es que tengo que acabar este artículo.*

  > ***Entonces** no vienes. Pues adiós.*

  *Hoy lleva traje, **así que** seguro que tiene una reunión importante.*

  – Para introducir una consecuencia lógica.

  *El resultado de la votación es de 23 votos para cada grupo; **por lo tanto,** no ha habido ganador.*

  > *Tenemos que beber agua.*

  < ***O sea que** no hay vino, ¿no?*

¡ATENCIÓN!

La causa y la consecuencia están muy próximas.

*La leche está fría, **así que** voy a calentarla.* → *Voy a calentar la leche **porque** está fría.*

Como la leche está fría, voy a calentarla.

Así que es el conector más frecuente.

O sea que también se utiliza para resumir con otras palabras lo que se ha dicho.

EJERCICIOS

Practique cómo se construye

1 Ordene estas frases.

Ej.: trabajar / de modo que / Estoy / no puedo / sin ordenador → *Estoy sin ordenador, de modo que no puedo trabajar.*

1. llovía / no fuimos / al parque / Ayer / así que →
2. no pude entrar / por eso / Llegué tarde / en clase →
3. así que / muy estresada / tómate vacaciones / Estás / para relajarte →
4. Las luces / ya se han ido / por lo tanto / están apagadas / los vecinos →
5. es peligrosa / no salgas / Esta ciudad / así que / por la noche / solo →

2 **Transforme estas frases causales en frases consecutivas.**

1. Ha sacado muy buenas notas porque ha estudiado mucho.
   (de modo que) ....*Ha estudiado mucho, de modo que ha sacado muy buenas notas.*........

2. Se ha ido de viaje a Tailandia porque ha ahorrado mucho dinero.
   (por eso) ....

3. Como llueve mucho, no hemos salido.
   (así que) ....

4. Ha cambiado el disco que le regalaste por otro porque ya lo tenía.
   (de modo que) ....

5. Ha comido ya porque tenía hambre.
   (así que) ....

Practique (cómo se usa)

(2: 21)

3 **Relacione con flechas ambas columnas. Escuche y compruebe.**

1. Su exposición no está demasiado elaborada,
2. Ayer tuvimos cena de despedida con los estudiantes,
3. Mañana llega el embajador de Brasil
4. Ha suspendido el examen,
5. Fran tiene el tobillo muy hinchado,

así que hoy estamos cansadas.
por tanto habrá una recepción con el rey.
por eso está enfadado.
o sea que no puede jugar al fútbol.
de manera que tiene que rehacerla.

4 **Reaccione expresando una consecuencia.**

1. > Esta tarde es la final del mundial de fútbol.
   < (no salir, nosotros) ....*O sea que no salimos.*................

2. > Me gusta un montón esa falda, pero es muy cara.
   < (no comprarla, tú) ....

3. > Me ha llamado Jesús, pero no le he contestado porque ayer me enfadé con él.
   < (no ir a hablar con él, tú) ....

4. > Nos insultó en nuestra propia casa.
   < (echarlo de allí, vosotros) ....

5. > Ayer se me rompió la lavadora.
   < (comprar otra, tú) ....

5 **Lea estos textos y escriba las consecuencias que saca de ellos.**

> **HISTORIAS DE VECINOS**

A. La tubería está rota. Cae agua en el piso de abajo. El vecino de arriba llama al fontanero, que no viene. La vecina de abajo tiene el cuarto de baño inundado. La vecina protesta y el vecino de arriba cierra la llave del contador de agua. Ahora, el vecino se ducha en casa de la señora de la cuarta planta y se hacen amigos.

.... *La tubería está rota,* **así que** *cae agua en el piso de abajo;* **por eso** *el vecino* ....
....
....
....
....

B. Un vecino encontró un cadáver en la calle. Llamó a la policía. La policía llegó tarde. No encontró a nadie en el lugar del crimen. Buscaron por los alrededores algún sospechoso. Preguntaron a la mujer del quiosco de periódicos. Es muy miope. No vio nada. No hay pistas.

.... *Un vecino encontró un cadáver en la calle,* **de modo que** *llamó a la policía.* ....
....
....
....

M I S   C O N C L U S I O N E S

6 **Marque verdadero (V) o falso (F).**

a. Las oraciones consecutivas se construyen siempre con indicativo: ......

b. *O sea que* puede usarse para resumir con otras palabras lo que se ha dicho antes: ......

c. Las consecutivas normalmente van al principio del enunciado: ......

7 **Complete.**

1. Mañana salimos pronto de viaje, ... tenemos que acostarnos pronto.

   a. así que   b. o sea

2. Me ha dicho que está cansado, que le duele el estómago, ... no viene.

   a. de modo   b. o sea que

PRESENTE DE SUBJUNTIVO (I): VERBOS REGULARES.
LA EXPRESIÓN DEL DESEO Y DEL SENTIMIENTO

 FÍJESE!

 (2: 22)

¡Que lo paséis bien sin mí en el concierto!

Me da mucha pena que no **puedas** venir.

¡Ojalá **sea** Susana!

Siento **decirte** que no es para ti.

Así se construye

 (2: 23)

• El **presente de subjuntivo** se forma a partir del infinitivo: **ar > e, er > a, ir > a.**

	-AR (HABLAR)	-ER (COMER)	-IR (VIVIR)
	Presente subjuntivo	Presente subjuntivo	Presente subjuntivo
Yo	hable	coma	viva
Tú	hables	comas	vivas
Vos	hablés	comás	vivás
Él / ella / usted	hable	coma	viva
Nosotros /-as	hablemos	comamos	vivamos
Vosotros /-as	habléis	comáis	viváis
Ellos /-as / ustedes	hablen	coman	vivan

¡ATENCIÓN!

No se consideran irregularidades los cambios ortográficos.

Llegar → *llegue, lleguemos, etc.*

Tocar → *toque, toquen, etc.*

Coger → *coja, cojamos, etc.*

- **Expresiones de sentimiento**

  – **¡Qué** + sentimiento (nombre, adjetivo, adverbio)! Puede ir sin un verbo detrás.

    ○ Con nombres: *¡Qué pena / alegría / preocupación / fastidio / suerte…!*

    ○ Con adjetivos: *¡Qué lamentable / triste / ridículo…!*

    ○ Con adverbios: *¡Qué bien / mal!*

  – **¡Qué** + sentimiento + infinitivo!

    ¡Qué alegría verte! (yo siento alegría, yo te veo).

  – **¡Qué** + sentimiento + **que** + subjuntivo!

    ¡Qué fastidio que hablemos español siempre! (yo me quejo, todos hablamos español).

¡ATENCIÓN!

Con infinitivo = siempre es el mismo sujeto → *Quiero llegar pronto.*

Con subjuntivo = el sujeto es distinto → *Preferimos que vengáis a nuestra casa.*

- – Verbo de sentimiento + infinitivo.

    Me alegro de llegar a tiempo (yo me alegro, yo llego a tiempo).

  – Verbo de sentimiento + **que** + subjuntivo.

    Me alegro de que llegues a tiempo (yo me alegro, tú llegas a tiempo).

    Son verbos de sentimiento: *preferir, lamentar, sentir, alegrarse de, preocuparse*; funcionan como estos verbos *poner* + adjetivo *(triste, contento, furioso…)*, *dar* + nombre *(dar alegría, tristeza, pena…)*, etcétera.

    Me da alegría ver a mis sobrinos (yo me alegro y yo veo a mis sobrinos).
    *Me da contenta.

    Me pone contenta hablar con mi familia. *Me pone alegría.

    Me da alegría que lleguen mis sobrinos. / Me pone contenta que lleguen mis sobrinos.

  – **¡Cómo / cuánto** + verbo de sentimiento + infinitivo!

    ¡Cómo / Cuánto me alegra estar aquí! (yo me alegro y yo estoy aquí).

  – **¡Cómo / cuánto** + verbo de sentimiento + **que** + presente de subjuntivo!

    ¡Cómo / Cuánto me alegra que estés aquí! (yo me alegro y tú estás aquí).

    ¡Cómo / Cuánto lamento que no nos entendamos!

    *¡**Cómo / Cuánto** me da alegría que estés aquí!

    *¡**Cómo / Cuánto** me pone triste que no nos entendamos!

- **Expresiones de deseo**
  - *¡Ojalá!*
    > *El examen va a ser fácil.*
    < *¡Ojalá!*
  - *¡Ojalá (que)* + subjuntivo!
    > *¡Ojalá (que)* nos suban el sueldo!*
    < *¡Ojalá!*
  - *¡Que* + subjuntivo!
    > *¡Que pases* un buen fin de semana!*
    < *Gracias.*
  - Verbo de deseo + infinitivo.
    Espero terminar pronto (yo).*
  - Verbo de deseo + *que* + subjuntivo.
    Espero que termines pronto (espero <u>yo</u> que termines <u>tú</u>).*

Son verbos de deseo: *esperar, desear, querer, tener ganas de, apetecer...*

Así se usa

- **Expresiones de sentimiento**

Los sentimientos pueden ser de alegría, enfado, sorpresa, disgusto... Y se expresan con:
  - *¡Qué + ... que!:* son exclamaciones. Expresan un sentimiento intenso, normalmente como reacción a algo que ha pasado o que se ha dicho:
    ¡Qué pena que esté cerrado el bar! Tiene unas tapas estupendas.*
    ¡Qué sorpresa que estés aquí! No te esperaba.*
  - Verbos como *alegrarse de, lamentar, sentir, sorprender, extrañar, preocuparse;* también funcionan como estos verbos me / te / le / nos / os / les pone + adjetivo, etcétera.
    Se alegra de que estés aquí.*
    Siento que no lo entendáis todo.*
    Me extraña que no llame Juan.*
    Me pone contenta ver progresar a mis estudiantes.*
    ○ *Sentir* y *lamentar* se usan para compartir el dolor, la desgracia o mala suerte de otras personas o para pedir disculpas. *Lamentar* es más formal que *sentir*.
      Siento / lamento que tengas problemas.*
      Siento / lamento no poder ayudarte.*

○ *Odiar* y *detestar* significan casi lo mismo. Son verbos con un contenido muy negativo.

Odio *tener que lavar los platos.*

Detesto *que me despierten tan pronto.*

– Para dar énfasis usamos *¡Cómo / Cuánto + verbo de sentimiento!*

¡Cómo / Cuánto *me molesta que grites!*

¡Cómo / Cuánto *siento que estés deprimido!*

• **Expresiones de deseo**

– *¡Ojalá!* Puede expresar un deseo que se percibe como poco realizable, que se desea con intensidad. Puede ir solo o seguido de verbo.

¡Ojalá *(que)* **me llamen** *para ese trabajo!*

¡Ojalá *(que)* **me equivoque!**

¡Ojalá *(que)* **sea** *feliz!*

¡Ojalá *(que)* **pueda** *irme de vacaciones este verano!*

¡Ojalá *(que)* *todo* **salga** *bien!*

– *¡Que* + presente de subjuntivo! Expresa deseos en la vida cotidiana que se presentan como realizables. Presupone delante los verbos *desear* o *esperar*.

¡Que *la suerte* **os acompañe!** / **¡Que** *os guste* la película! / **¡Que** *lo* **pasen** bien en el cine!

○ A menudo son fórmulas de cortesía o van unidas a momentos de despedida.

¡Que te mejores! (cuando alguien está enfermo).

¡Que aproveche! (cuando alguien está comiendo).

¡Que descanses! (cuando alguien se va a dormir o de fin de semana).

○ Pero también son fórmulas que expresan malos deseos en momentos de enfado.

¡Que te parta *un rayo!*

– El verbo *querer* muchas veces expresa deseos pero otras veces expresa petición o mandato. (→ Unidad 29).

Queremos que *mejore la situación.* / *Quiero ir al cine* (deseos).

Quiero que *te portes bien.* / *Queremos que se vayan de aquí* (órdenes).

– *Tener ganas de* y *apetecer* se usan en contextos más coloquiales. *Apetecer* se refiere a comidas, bebidas o acciones, no a cosas.

Tengo ganas de *ir a Egipto.* / **Tengo ganas de** *que os mudéis de casa.*

No me apetece *salir hoy.* / **No me apetece** *que me vean así.*

Me apetece *un bocadillo de queso.*

*Me apetece un reloj.

– *Desear* se usa poco y en contextos más formales.

Deseamos *que todo salga muy bien.*

EJERCICIOS

Practique cómo se construye

1 Cambie las vocales señaladas por otras para formar el presente de subjuntivo.

1. Nosotros saltamos. → *Nosotros saltemos.*

2. Tú bebes. →

3. Yo vivo. →

4. Usted escribe. →

5. Vosotros pasáis. →

6. Él corre. →

2 Clasifique las siguientes formas en uno de los presentes: de indicativo o de subjuntivo.

1. Nosotros estudiemos   3. Ellos bailan   5. Vosotros recibís

2. Yo canto   4. Tú recibas   6. Él se presente

PRESENTE DE INDICATIVO	PRESENTE DE SUBJUNTIVO
....	....
....	....

3 Complete las formas del presente de subjuntivo del cuadro anterior en el siguiente cuadro.

Estudiar	Bailar	Recibir	Cantar	Presentarse

4 Complete los esquemas piramidales. Siga el ejemplo resuelto. Escuche y compruebe.

Ej.: Pena (no hablar bien español).

> ¡Qué + nombre + *que* + subjuntivo (nosotros)!
> *¡Qué pena que no hablemos bien español!*
>
> ¡Qué + nombre + infinitivo!
> *¡Qué pena no hablar bien español!*
>
> ¡Qué + nombre!
> *¡Qué pena!*

1. Alegría (descanso todo el día).

> ¡Qué + nombre + *que* + subjuntivo (nosotros)!
> ....
>
> ¡Qué + nombre + infinitivo!
> ....
>
> ¡Qué + nombre!
> ....

2. Terrible (luchar contra esto).

> ¡Qué + adjetivo + *que* + subjuntivo (ustedes)!
> ....
>
> ¡Qué + adjetivo + infinitivo!
> ....
>
> ¡Qué + adjetivo!
> ....

3. Mal (entrar tan pronto).

> ¡Qué + adverbio + *que* + subjuntivo (tú)!
> ....
>
> ¡Qué + adverbio + infinitivo!
> ....
>
> ¡Qué + adverbio!
> ....

5 **Identifique quién realiza o experimenta las acciones subrayadas.**

Ej.: *Quiero comprarme un coche nuevo.*
    Yo   Yo

1. Preferimos terminar todo antes de salir. ....

2. Me alegro de que estés mejor. ....

3. Paula lamenta mucho no poder llegar a tiempo. ....

4. ¿Os pone nerviosos que vengan los inspectores? ....

5. A mis padres les preocupa que yo viva sola. ....

6. ¡Cuánto sentimos darte esta noticia! ....

6 **Complete la tabla con todas las opciones posibles.**

Ej.: *Me pone* **contento** *esta noticia / recibir esta noticia / que me des esta noticia.*

> 1. contento. 2. de mal humor. 3. alegría. 4. triste. 5. rabia. 6. miedo.

Me pone .*1*... esta noticia / recibir esta noticia / que me des esta noticia	Me da .... esta noticia / recibir esta noticia / que me des esta noticia

Practique (cómo se usa)

7 **Complete estas frases con el verbo en la forma adecuada. Después, escuche y compruebe.**

(2: 25)

1. > Lo siento, llego tarde. ¡Había un tráfico…!

   < Pues siento que ......*llegue(s)*...... tarde, porque ya se ha terminado todo.

2. > Me voy a la cama, estoy agotada.

   < ¡Que ....!

3. > A veces tu hermano lleva la música muy alta en el coche, ¿no te parece?

   < Sí, y a mí me molesta mucho que la .... así.

4. > De acuerdo, doctora, voy a seguir este tratamiento desde mañana mismo.

   < Muy bien, nos vemos en dos semanas. ¡Que ....!

5. > ¡Me ha enviado un correo el chico que conocí el otro día!

   < ¿Sí? ¡Qué extraño que te .... y no te llame! ¿No?

8 **Relacione y transforme el infinitivo.**

Ej.: 1. b. *Me sorprende que la gente* **esté** *en la calle por la noche.*

1. Me sorprende	a. no *ganar* el campeonato!
2. ¡Ojalá	b. que la gente *estar* en la calle por la noche.
3. ¡Qué bien que	c. los niños *trabajar* para mantener a sus familias!
4. ¡Qué pena que	d. que *llegar* hoy tan pronto al despacho.
5. Me da alegría	e. *llamar* pronto la chica que conocí ayer!

9 **¿Qué dirían estas personas en las siguientes situaciones? Marque la opción adecuada.**

1. Un deportista a su pareja.

   a. Me gusta apoyarte en los partidos.

   b. *Me gusta que me apoyes en los partidos.* ✓

2. El entrenador a los futbolistas antes de empezar el partido.

   a. Espero meter muchos goles.

   b. Espero que metáis muchos goles.

3. Una abuela que está leyendo en una estadística que el índice de natalidad está creciendo.

   a. Me alegro de que aumente la natalidad.

   b. Me alegro de aumentar la natalidad.

4. Varios estudiantes que llegan tarde a clase.

   a. Sentimos llegar tarde.

   b. Sentimos que lleguemos tarde.

5. Unas chicas a sus compañeras de clase.

   a. Nos sorprende que viajéis tanto.

   b. Nos sorprende viajar tanto.

10 Complete con las siguientes expresiones.

> qué lástima / qué mal / me da miedo / qué suerte / me sorprende

1. .... *Me da miedo* .... tirarme a la piscina desde el trampolín.
2. .... que los españoles no estén gordos, ¡comen muchísimo!
3. .... que lleguéis el próximo fin de semana. No estaré y no podré veros.
4. ¡................................... que duermas tan bien! Yo siempre estoy estresado.
5. ¡................................... que terminemos tan tarde hoy!

11 Complete usando una expresión de deseo adecuada sin que se repita ninguna y añadiendo estas construcciones.

> solucionarse / hacer un viaje / aprovechar / tomar / bailar / terminar

Ej.: *¿Quieres venir también mañana? Yo **prefiero terminar** el trabajo hoy y no venir mañana.*

1. ¿Os ....? Son helados italianos, yo sí voy a tomar uno.
2. ¡...! Pero será difícil, este problema es muy grave.
3. .... en barco, pero no tenemos tiempo para nada.
4. Él .... toda la noche, pero a mí ya me duelen los pies.
5. Aquí tienen, señoras, su paella de marisco. ¡...!

12 Exprese su sentimiento haciendo énfasis con *cómo* o *cuánto*.

Ej.: *Un amigo le dice que está muy deprimido.* → *(Sentir)* ¡***Cuánto*** / *cómo siento que estés deprimido!*

1. Está en una tienda fuera de su país. Nadie entiende lo que dice.

   > Perdone, ¿puedo ayudarle en algo? Yo hablo su idioma.

   < (Alegrarse de) ....

2. Carla canta bien, pero nunca canta en público.

   > ¡Sabes? La primera que quiere participar en el festival es Carla: va a cantar.

   < (Sorprender) ....

3. Ustedes están repartiendo el trabajo de la casa.

   > Y tú tienes que hacer la compra.

   < (Odiar) ....

M I S   C O N C L U S I O N E S

13 **Complete con la vocal correcta.**

1. El presente de subjuntivo de los verbos en **-ar** cambian la **a** del infinitivo por ......

2. El presente de subjuntivo de los verbos en **-er** cambian la **e** del infinitivo por ......

3. El presente de subjuntivo de los verbos en **-ir** cambian la **i** del infinitivo por ....

14 **Señale la opción correcta.**

1. Expresa sentimiento de tristeza:

   a. Lamentar.

   b. Detestar.

   c. Sorprender.

2. Detrás de ¡Qué ......!:

   a. Van adjetivos.

   b. Van nombres.

   c. Van adjetivos y nombres.

3. No expresa deseo:

   a. Apetecer.

   b. Tener ganas de.

   c. Estar de buen humor.

25 *Puede que sea un meteorito*

PRESENTE DE SUBJUNTIVO (II): VERBOS IRREGULARES.
LA EXPRESIÓN DE LA DUDA (alternancia modal)

FÍJESE!

(2: 26)

¿Pero qué puede ser esto?

¿Tú crees? **Igual es** una planta carnívora.

A lo mejor es un animal prehistórico.

¡Bah! **Seguramente es** Ramírez, que ha discutido con su mujer.

(2: 27)

Así se construye

PRESENTE DE SUBJUNTIVO IRREGULAR

• Verbos en -AR y en -ER que cambian la e > ie

Tomamos la persona *yo* del presente de indicativo y añadimos las terminaciones del presente de subjuntivo. Pero en las formas de *vos, nosotros* y *vosotros*: **ie > e.**

	-AR (PENSAR)		-ER (PERDER)	
	Presente indicativo	Presente subjuntivo	Presente indicativo	Presente subjuntivo
Yo	piens**o**	piens**e**	pierd**o**	pierd**a**
Tú	piens**as**	piens**es**	pierd**es**	pierd**as**
Vos	pens**ás**	pens**és**	perd**és**	perd**ás**
Él / ella / usted	piens**a**	piens**e**	pierd**e**	pierd**a**
Nosotros /-as	pens**amos**	pens**emos**	perd**emos**	perd**amos**
Vosotros /-as	pens**áis**	pens**éis**	perd**éis**	perd**áis**
Ellos /-as / ustedes	piens**an**	piens**en**	pierd**en**	pierd**an**

-162-

- **Verbos en -IR que cambian la e > ie**

  Partimos de la persona *yo* del presente de indicativo y añadimos las terminaciones del presente de subjuntivo. En las formas de *vos, nosotros* y *vosotros:* **ie > i.**

	-IR (Sentir)	
	Presente indicativo	Presente subjuntivo
Yo	sient**o**	sient**a**
Tú	sient**es**	sient**as**
Vos	sent**ís**	sint**ás**
Él / ella / usted	sient**e**	sient**a**
Nosotros /-as	sent**imos**	sint**amos**
Vosotros /-as	sent**ís**	sint**áis**
Ellos /-as / ustedes	sient**en**	sient**an**

- **Verbos con irregularidades propias**

	Ser	Ir	Saber	Haber
Yo	sea	vaya	sepa	haya
Tú	seas	vayas	sepas	hayas
Vos	seás	vayás	sepás	hayás
Él / ella / usted	sea	vaya	sepa	haya
Nosotros /-as	seamos	vayamos	sepamos	hayamos
Vosotros /-as	seáis	vayáis	sepáis	hayáis
Ellos /-as / ustedes	sean	vayan	sepan	hayan

- **Verbos *estar* y *dar***

  Estos verbos siguen la regla de los verbos regulares en -AR, pero son irregulares por su acentuación aguda.

	Estar	Dar
Yo	esté	dé
Tú	estés	des
Vos	estés	des
Él / ella / usted	esté	dé
Nosotros /-as	estemos	demos
Vosotros /-as	estéis	deis
Ellos /-as / ustedes	estén	den

• **Recursos para expresar duda**

Con indicativo	Con subjuntivo	Con indicativo / subjuntivo
A lo mejor	Puede (ser) que	Posiblemente
Igual / igual es que		Probablemente
Lo mismo / Lo mismo es que		Seguramente
		Quizá / Quizás / Tal vez

– *Quizá(s), tal vez, a lo mejor, posiblemente, probablemente* y *seguramente* pueden ir delante o detrás del verbo o solos, como respuesta a una pregunta. Es más frecuente que vayan delante y si van detrás suelen ir precedidos de coma.
> *¿Por qué grita así?*
< ***A lo mejor / quizá(s)*** *está nervioso. / Está nervioso,* ***a lo mejor / quizá(s).***

– *Igual, lo mismo* y *puede (ser) que* únicamente pueden ir al principio de la oración y son invariables. *Puede* y *puede ser* aparecen también solos como respuesta a una pregunta.
> *¿Sabes por qué no ha venido Pablo a trabajar?*
< *No sé,* ***lo mismo / igual*** *está enfermo. /* ***Puede (ser) que*** *esté enfermo.*
Puede (ser) que siempre va seguido del modo subjuntivo.
> *¿Se enteró Iñaki de la verdad?*
< *No, y* ***puede (ser) que*** *nunca* ***se entere.***

Así se usa

• **Quizá(s), tal vez, posiblemente** y **probablemente** pueden ir seguidos de indicativo o subjuntivo. Cuando van detrás del verbo, es para suavizar una afirmación categórica (en estos casos, el verbo solamente puede ir en indicativo).
Quizá(s) / tal vez / posiblemente / probablemente Emilio ***sea / es*** *sincero.*
Emilio ***es*** *sincero quizá(s) / tal vez / posiblemente / probablemente.*

• **Seguramente**
– Expresa un grado alto de seguridad pero aún tenemos dudas. Se observa una preferencia a utilizarlo con el modo indicativo.
Seguramente *te llamarán (te llamen) para la prueba.*

• **Puede, puede (ser) que** constituyen una fórmula hecha, sin valor verbal.
> *¿Te quedarás el fin de semana en São Paulo?*
< ***Puede / puede ser,*** *depende de si están allí mis amigos.*

• **Igual** y **lo mismo** pertenecen al registro coloquial y se construyen siempre con indicativo.
– Pueden ir seguidos de es *que...*
Igual / lo mismo es que *no lo sabe.*

– Se usan especialmente para indicar algo sorprendente o extraño.

    ***Igual* / *lo mismo** dice la verdad.*

¡ATENCIÓN!

Lo mismo es que e **igual es que** no pueden usarse con el futuro de indicativo.

    Lo mismo es que va a llover y por eso se ha llevado el paraguas.

    Lo mismo es que llueve allí y por eso se ha llevado el paraguas.

    *Lo mismo es que lloverá allí y por eso se ha llevado el paraguas.

EJERCICIOS

Practique cómo se construye

1   **Escriba la 1.ª y la 3.ª personas del plural del presente de subjuntivo.**

Ej.: *comenzar (yo comienzo)* → *nosotros /-as comencemos. Ellos / ellas / ustedes comiencen.*

1. empezar (yo empiezo)   → ....
2. mentir (yo miento)   → ....
3. perder (yo pierdo)   → ....
4. divertirse (yo me divierto) → ....
5. entender (yo entiendo)   → ....
6. cerrar (yo cierro)   → ....

2   **Busque en la sopa de letras las siguientes formas del presente de subjuntivo.**

Sugerir:	3.ª persona singular
Atender:	2.ª persona singular
Preferir:	3.ª persona plural
Comenzar:	2.ª persona plural
Querer:	1.ª persona singular
Negar:	1.ª persona plural

Q	Y	D	L	V	Q	Y	S	K	B
W	U	F	S	U	G	I	E	R	A
E	I	G	I	B	Q	U	D	L	S
S	I	E	C	N	E	M	O	C	O
P	R	H	Ñ	N	W	I	F	Ñ	M
A	O	J	Z	M	E	O	G	Z	E
N	A	R	E	I	F	E	R	P	U
R	A	K	X	Ñ	R	P	H	X	G
A	T	I	E	N	D	A	S	C	E
T	S	L	C	N	T	A	J	V	N

3 Relacione las frases con todas las posibles expresiones de duda con las que puede ir.

Ej.: *a → 1, 2, 3, 5 y 6.*

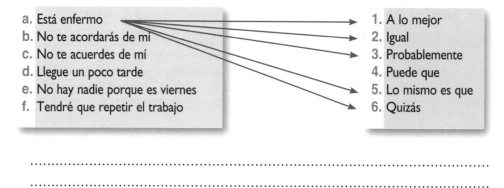

a. Está enfermo
b. No te acordarás de mí
c. No te acuerdes de mí
d. Llegue un poco tarde
e. No hay nadie porque es viernes
f. Tendré que repetir el trabajo

1. A lo mejor
2. Igual
3. Probablemente
4. Puede que
5. Lo mismo es que
6. Quizás

....
....

4 Cambie el orden según el modelo, en los casos en que sea posible.

Ej.: ***Posiblemente*** *iré a tu casa esta tarde.* → *Iré a tu casa esta tarde* ***posiblemente.***

1. Probablemente no saldré este fin de semana. ....
2. Probablemente no salga este fin de semana. ....
3. Igual me voy sola al cine. ....
4. A lo mejor nos llamarán más tarde. ....
5. Quizá estamos preocupándonos demasiado. ....
6. Tal vez exista una solución más fácil. ....

Practique cómo se usa

5 Complete con una expresión de duda sin repetir ninguna.

Ej.: > *¿Vienes a la cena de esta noche?*

    < ***A lo mejor voy,*** *pero llegaré un poco más tarde.*

1. > ¿No has encontrado las llaves del coche? ¿Y no te las has dejado en el garaje?

    < ...., pero es raro... ¡Ah, ... las tengo en el bolso!

2. > ¿Qué te parece a ti esta discusión?

    < No sé..., ... estemos todos un poco nerviosos para hablar de este tema.

3. > ¡Pero dónde está Rafa? No lo veo por aquí y tiene que recibir a los invitados.

    < Pues yo tampoco lo he visto, es tan despistado..., ... se ha olvidado y se ha metido en un cine tan tranquilo.

4. > ¿Qué le pasa al bebé? No para de llorar.

< .... querrá comer ya.

5. > Mira, tengo una mancha en la piel.

< ¡Bah! Será una picadura de mosquito ....

6 Forme una oración expresando duda con los elementos entre paréntesis. Escuche y compruebe.

(2: 28)

1. > ¿Qué vas a hacer este fin de semana?

< (No estar confirmado el plan / pero / primero cenar con unos amigos / probablemente / ir a bailar / y después)

No está confirmado el plan, pero probablemente primero..................................

2. > ¿Con quién vas a dejar a tu perro este verano?

< (Ser un lío / llevarlo conmigo al campo / igual / y / puede que / un lugar donde dejarlo / haber allí)

....

3. > Oye, te llamo desde el aeropuerto, he perdido el avión y tengo que estar en Roma mañana. ¿Qué hago?

< (Huy, cuánto lo siento / tal vez / preguntar en información / con plazas libres / haber otro vuelo a Roma)

....

4. > ¡Qué nervios! Ya tendría que estar aquí, seguro que le ha pasado algo malo.

> (¿Por qué pensar eso? / haber mucho tráfico / posiblemente / por la lluvia / tomando una cerveza / o lo mismo es que / estar con un amigo)

....

MIS CONCLUSIONES

7 Complete.

Hay expresiones de duda que siempre van en indicativo, como (1) ....
Otras que van siempre en subjuntivo, como (2) .... y otras que pueden ir en subjuntivo y en indicativo (dependiendo del orden delante o detrás del verbo) como (3) ....

8 Marque verdadero (V) o falso (F).

a. Usamos *seguramente* si estamos completamente seguros: ......

b. *Igual* y *lo mismo* son más informales que *quizá(s)*: ......

c. *Lo mismo* expresa siempre un alto grado de seguridad: ......

26 Es posible que esté loco

PRESENTE DE SUBJUNTIVO (III): VERBOS IRREGULARES.
CONSTRUCCIONES IMPERSONALES (alternancia modal)

 FÍJESE!

(2: 29)

¡Que sí, que yo soy Ramírez!

Es evidente que usted **está** loco.

¡Es necesario que **llamemos** a la policía!

Es una pena que la gente **se vuelva** loca así de repente.

 *Así se construye*

(2: 30)

OTROS VERBOS IRREGULARES EN PRESENTE DE SUBJUNTIVO

• **Verbos en -AR y -ER que cambian la o > ue**

– Partimos de la 1.ª persona sing. del presente de indicativo. En las formas de *nosotros* y *vosotros:* **ue > o.**

	-AR (CONTAR)		-ER (VOLVER)	
	Presente indicativo	Presente subjuntivo	Presente indicativo	Presente subjuntivo
Yo	cuent**o**	cuent**e**	vuelv**o**	vuelv**a**
Tú	cuent**as**	cuent**es**	vuelv**es**	vuelv**as**
Vos	cont**ás**	cuent**es**	volv**és**	vuelv**as**
Él / ella / usted	cuent**a**	cuent**e**	vuelv**e**	vuelv**a**
Nosotros /-as	cont**amos**	cont**emos**	volv**emos**	volv**amos**
Vosotros /-as	cont**áis**	cont**éis**	volv**éis**	volv**áis**
Ellos /-as / ustedes	cuent**an**	cuent**en**	vuelv**en**	vuelv**an**

– Se construyen como CONTAR: *acordarse de, acostarse, volar, recordar, sonar, soñar...*

– Se construyen como VOLVER: *mover, resolver, soler...*

(2: 30)

- **Verbos en -IR que cambian la o > ue**

  – Partimos de la 1.ª persona sing. del presente de indicativo. En las formas de *nosotros* y *vosotros:* **ue > u.**

	-IR (DORMIR)	
	Presente indicativo	Presente subjuntivo
Yo	duerm**o**	duerm**a**
Tú	duerm**es**	duerm**as**
Vos	dorm**ís**	duerm**as**
Él / ella / usted	duerm**e**	duerm**a**
Nosotros /-as	dorm**imos**	durm**amos**
Vosotros /-as	dorm**ís**	durm**áis**
Ellos /-as / ustedes	du**e**rmen	duerm**an**

¡ATENCIÓN!

JUGAR tiene irregularidad propia: *juegue, juegues, juegue, juguemos, juguéis, jueguen.*

  – Se construye como *dormir* el verbo *morir.*

(2: 30)

- **Verbos con irregularidad consonántica**

  Conservan esta irregularidad en todas las personas del presente de subjuntivo.

	Irregularidad **-g-** (TENER)		Irregularidad **-cz-** (CONOCER)		Irregularidad **ui > uy** (HUIR)	
	Presente indicativo	Presente subjuntivo	Presente indicativo	Presente subjuntivo	Presente indicativo	Presente subjuntivo
Yo	ten**go**	ten**ga**	cono**zco**	cono**zca**	hu**yo**	hu**ya**
Tú	tien**es**	ten**gas**	cono**ces**	cono**zcas**	hu**yes**	hu**yas**
Vos	ten**és**	ten**gas**	cono**cés**	cono**zcas**	hu**is**	hu**yas**
Él / ella / usted	tien**e**	ten**ga**	cono**ce**	cono**zca**	hu**ye**	hu**ya**
Nosotros /-as	ten**emos**	ten**gamos**	cono**cemos**	cono**zcamos**	hu**imos**	hu**yamos**
Vosotros /-as	ten**éis**	ten**gáis**	cono**céis**	cono**zcáis**	hu**is**	hu**yáis**
Ellos /-as / ustedes	tien**en**	ten**gan**	cono**cen**	cono**zcan**	hu**yen**	hu**yan**

- **Construcciones impersonales**

  – *(No) Es* + adjetivo / sustantivo + INFINITIVO

  > Es **importante** *aprender idiomas.*

  > Es **una pena** *perder el trabajo.*

  – *(No) Es* + sustantivo / adjetivo + *que* + SUBJUNTIVO

  Sustantivos: una lástima / una pena / una suerte / una desgracia / un problema…

  Adjetivos: bueno / fácil / necesario / lógico / normal / natural / probable / conveniente…

  > Es **un problema** grave **que no tengas** *aquí el pasaporte.*

  > Es **terrible que haya** *violencia en el mundo.*

– *Es* + sustantivo / adjetivo + *que* + INDICATIVO

Sustantivos: un hecho / verdad...

Adjetivos: evidente / seguro / obvio...

> **Es un hecho que han ganado** las elecciones.
>
> **Es verdad que** últimamente **estás** muy estresado.
>
> **Es seguro que viene.** Me lo ha confirmado.
>
> **Es cierto que** Pepe siempre **llega** tarde.

– *Está claro que* + INDICATIVO

> **Está claro que trabajamos** como burros.

PERO en negativo siempre se usa subjuntivo.

> **No es cierto que** Pepe siempre **llegue** tarde.
>
> **No es verdad que** últimamente **estés** muy estresado.
>
> **No está claro que quiera** acompañarnos.

– En las construcciones impersonales con sustantivo, este tiene que ir precedido del artículo indeterminado.

> Es **una** pena que no vengas. *Es pena que no vengas.

PERO *verdad* y *mentira* solo llevan artículo si van acompañados de un adjetivo.

> Es **una verdad irrefutable** que tú nunca mientes.
>
> Es **una enorme mentira** que tú nunca mientas.

Así se usa

– Las construcciones impersonales van con infinitivo para hablar de forma general sin referirnos a un sujeto concreto.

> **Es maravilloso levantarse** tarde y desayunar tranquilamente.
>
> **Es una pena perder** el tiempo en los atascos.

– Las construcciones impersonales van con indicativo o subjuntivo para introducir un sujeto específico.

Es + adjetivo / sustantivo + *que* + verbo conjugado (indicativo / subjuntivo)

> *Es evidente que (tu padre) quiere ayudarnos.*
>
> *Es una lástima que pierdas tanto tiempo en los atascos.*

¡ATENCIÓN!

Para hablar de forma general, las construcciones *es evidente* / *es seguro* / *es verdad* / *es un hecho* / *está claro* y sus sinónimos no admiten detrás el infinitivo. Si queremos generalizar, debemos usar: *es evidente* / *es verdad*... + *que* + *se* + verbo en 3.ª pers. sing. (→ Unidad 9).

*Es evidente perder el tiempo en los atascos. → **Es evidente que se pierde** el tiempo en los atascos.

*Es verdad mejorar con un poco de esfuerzo. → **Es verdad que se mejora** con un poco de esfuerzo.

- Las construcciones impersonales en subjuntivo pueden expresar:

  – Un sentimiento: es *una pena que* / es *una alegría que* / es *preocupante que*…
    Es una pena que no puedas venir. / **Es triste** que esta situación no se resuelva.

  – Una duda o probabilidad: **Es posible / probable** que tenga problemas.

  – Una opinión, una valoración sobre algo: es *absurdo que* / es *un desastre que* / está *bien que* / es *un problema que*…
    Está bien que la presidenta hable por fin en el parlamento.
    Es una vergüenza que la televisión emita esas imágenes.

  – Un consejo: **Es conveniente / bueno** que te acuestes pronto hoy.

- Las construcciones impersonales van seguidas de indicativo cuando queremos comunicar que lo que decimos es un hecho innegable, aunque en realidad no lo sea.
    Es seguro que no hay vida en Marte (independientemente de que sea verdad, lo afirmo como algo indudable, como una verdad absoluta).
    Es verdad que te llamé el otro día (sé muy bien que no lo hice, pero lo afirmo con seguridad).

  – Cuando usamos *no es verdad, no es evidente, no es seguro*, etc., estamos corrigiendo una afirmación anterior explícita o presupuesta y utilizamos el subjuntivo.
    > Lo sé todo: me estás engañando.
    < No, no lo sabes todo y **no es verdad** que te **esté** engañando.

EJERCICIOS

Practique *cómo se construye*

 1 Escriba el verbo en la forma que se indica del presente de subjuntivo.

1. Traer. Presente de indicativo → yo traigo: Ellos .*traigan* ....

2. Oír. Presente de indicativo → yo oigo: Tú ....

3. Construir. Presente de indicativo → yo construyo: Vosotros ....

4. Conocer. Presente de indicativo → yo conozco: Usted ....

5. Venir. Presente de indicativo → yo vengo: Nosotros ....

6. Decir. Presente de indicativo → yo digo: Yo ....

7. Tener. Presente de indicativo → yo tengo: Vos ....

2 Clasifique los siguientes verbos en la casilla correspondiente.

Ej.: *Ellos construyan*

Nosotros traduzcamos   Tú te caigas   Usted componga

Yo contradiga   Nosotros deshagamos   Usted valga

Como *hacer*	Como *decir*	Como *salir*	Como *poner*

Como *traer*	Como *parecer*	Como *huir*
		Ellos construyan

3 Escuche o lea estas formas y relaciónelas con el infinitivo correspondiente.

(2: 31)

1. Nosotros traduzcamos
2. Tú te caigas
3. Yo contradiga
4. Nosotros deshagamos
5. Usted componga
6. Usted valga

a. componer
b. traducir
c. deshacer
d. valer
e. caerse
f. contradecir

4 Escuche o lea los enunciados de la 1ª. columna y relaciónelos con el infinivo correspondiente.

1. Es cierto que ......*ella está de acuerdo.*......
2. Es imposible que ....
3. Es verdad que ....
4. Está bien que ....
5. Está claro que ....
6. Es una suerte que ....

5 Transforme en negativo o en afirmativo las frases. Tenga en cuenta el modo.

Ej.: *Es probable que llueva.* → *No es probable que llueva.*

    No es obvio que vaya a ganar. → *Es obvio que va a ganar.*

1. Es verdad que nosotros dormimos poco y mal.

....

2. Es un hecho que estamos en crisis.

....

3. No es cierto que esté enferma. Ayer mismo la vi por la calle.

....

4. No es lógico que responda así. Debía de tener un mal día.

....

5. No es seguro que digan toda la verdad.

....

Practique cómo se usa

6 Lea estos titulares de periódico y reaccione eligiendo una de las construcciones impersonales. Después, escuche y compruebe.

Ej.: *Es verdad que ha habido fuego en algunos bosques españoles.*

Fuego en cinco bosques españoles

Un estudio demuestra que los seres humanos no nos preocupamos por nuestro planeta

Una mujer pobre con cinco hijos pequeños gana un millón de euros en la lotería

Se reúnen 20 000 personas para protestar contra el consumo de café

1. Es verdad que ....
2. Es una suerte que ....
3. Es absurdo que ....
4. Está mal que ....

7 Usted no es tan pesimista como sus amigos. Reaccione según el ejemplo.

Ej.: > *Es terrible, estamos al borde de la bancarrota.*

< *(verdad)* **No es verdad que estemos** *en bancarrota, solo tenemos algunas deudas.*

1. > Estoy asustado, me han dicho que te meten en la cárcel si no pagas tus impuestos.
   < No, hombre, (verdad) .... en la cárcel, pero sí te pondrán una buena multa.
2. > La tecnología evoluciona demasiado rápido, pronto nos quedaremos sin trabajo.
   < No te asustes, (evidente) ...., pero las personas siempre seremos necesarias.
3. > Nos van a echar de la empresa, somos los más antiguos y quieren gente joven.
   < ¡Que no! (seguro) .... a echar, tenemos que esperar a ver qué pasa.

4. > El cine español no gusta, la mayoría de la gente ve películas extranjeras y no españolas.

   < No estoy de acuerdo, (verdad) ...., pero el número de personas que ve películas españolas va creciendo poco a poco.

5. > Tomo sacarina en lugar de azúcar porque es mala para la salud.

   < ¡Pero qué dices! (cierto) .... mala para la salud, al contrario, es una fuente de energía.

8 **Lea el siguiente texto y complete las frases con una construcción impersonal.**

Si ustedes quieren saber la auténtica verdad de los hechos, es esta: mi nombre no es Hermenegildo Ñ de la Moraleja, sino Ramón González González. He vivido veinte años con un nombre falso, todavía me sorprende que la gente piense aún que soy Don Hermenegildo. Yo era un hombre tranquilo, con una vida demasiado tranquila... Un día empecé a aburrirme de una vida tan tranquila. Robar un banco tiene emoción; sobre todo, pensar que, por un tiempo, todo el mundo va a centrar su atención en ti, pero nunca he querido hacer daño a los demás. Soy enemigo de la violencia: me pone triste ver que el mundo cada vez es más violento. Así que empecé mi trabajo como investigador y pronto empecé a colaborar con organizaciones internacionales contra el crimen. Me dieron otro nombre y otra identidad y me convertí en el 007 español. Ahora, a mis 63 años de edad, soy demasiado viejo para seguir con esta vida de emoción y dejaré de actuar... ¿O no?

Ej.: ....*No es verdad que se llame Hermenegildo Ñ de la Moraleja.*..............

1. .... que se llama Ramón González González.

2. Dice que .... la gente piense todavía que es Don Hermenegildo.

3. Cuando se roba un banco, puede .... que todo el mundo se fije en ti, pero no es bueno hacer daño a la gente.

4. Según Ramón, ... el mundo cada vez sea más violento.

5. Después de leer el texto, ... deje su trabajo.

9 **Complete los diálogos con una construcción impersonal adecuada teniendo en cuenta la parte subrayada del interlocutor.**

Ej.: > .....¡Es imposible..... que el dinero no esté en la caja!

> < No, no es imposible. Te digo que el dinero no está en la caja. Alguien ha entrado o ha sido Vicente.

< (1) ...., a mí me parece una persona muy honrada y nunca nos ha hecho nada malo.

> No sé por qué te parece tan raro, muchas personas no son lo que parecen.

< Pero también (2) .... no nos acordemos de dónde lo hemos puesto.

> Pues no, no me parece posible que ni tú ni yo nos acordemos de dónde lo hemos puesto ¿Te parece que (3) .... ni tú ni yo recordemos dónde está?

< No, no es muy lógico, pero otras veces nos ha ocurrido. (4) .... pensemos con calma antes de ponernos más nerviosos.

> Sí, en eso puedes tener razón, mejor pensar bien. Oye, ¿y si lo tienes tú?

< ¿Yo? (5) .... tienes que calmarte un poco porque ya dices tonterías.

> No tan evidente, porque ¡yo estoy muy tranquila!, parece que lo sabes todo, ¿no? Hace dos años te llevaste tú el dinero de mi caja, te lo recuerdo.

< Sí, (6) .... que me llevé el dinero, pero te recuerdo que te lo devolví dos días después y te expliqué los motivos.

> Por lo menos, reconoces la verdad. De acuerdo, no discutamos, lo importante es encontrarlo, tenemos que comprarle al niño la bicicleta hoy porque mañana es su cumpleaños.

M I S   C O N C L U S I O N E S

10 **Marque verdadero (V) o falso (F).**

a. Cuando la persona *yo* del presente de indicativo tiene una irregularidad consonántica, el presente de subjuntivo tiene la misma irregularidad excepto en las personas *nosotros* y *vosotros:* ......

b. Todas las construcciones impersonales van con subjuntivo: ......

c. Todas las construcciones impersonales en afirmativo van con subjuntivo: ......

d. Todas las construcciones impersonales en negativo van con subjuntivo: ......

27 Te llamaré en cuanto llegue

PRESENTE DE SUBJUNTIVO (IV). LA EXPRESIÓN DEL TIEMPO

¡FÍJESE!

(2: 33)

> En cuanto llegue a casa, me quito los tacones.

> Cuando baje el banderín, salís todos.

Así se construye

- **Las oraciones temporales** se construyen en presente de subjuntivo cuando se refieren al futuro (cuando se refieren al presente o al pasado, van en indicativo → Unidad 20).

Cuando Mientras Después de que Hasta que Antes de que En cuanto Siempre que Tan pronto como	**+**	**verbo** (presente subjuntivo)	**+**	**frase** (verbo en presente, futuro de indicativo o imperativo)

Cuando llegue, te aviso.

Después de que acabe la película, saldré un rato.

En cuanto terminen, entreguen el examen.

Pero también pueden aparecer en este orden:

frase (verbo en presente, futuro de indicativo o imperativo) **+** {
cuando
mientras
después de que
hasta que
antes de que
en cuanto
siempre que
tan pronto como
} **+** **verbo** (presente subjuntivo)

Te aviso **cuando** llegue.

Saldré un rato **después de que** acabe la película.

Entreguen el examen en **cuanto** terminen.

¡ATENCIÓN!

Antes de que se construye siempre con subjuntivo en cualquier contexto temporal.

Así se usa

Las oraciones temporales con subjuntivo relacionan dos momentos del futuro:

- CUANDO. Indica en qué momento se producen los hechos:

    - **Anterioridad** a la acción principal, como una secuencia:

        Cuando baje la bandera, salís todos corriendo a la vez.

    - **Simultaneidad** a la acción principal:

        Estaré durmiendo cuando llegues.

- MIENTRAS. Expresa **simultaneidad** en las acciones.

    Ve a casa a comer. Ah, y no veas la televisión mientras comas.

    Descansarás mientras continúes en el hospital.

- EN CUANTO / TAN PRONTO COMO. Expresan un hecho **inmediatamente anterior** a otro hecho futuro.

    En cuanto / tan pronto como recibas noticias suyas, mándame un mensaje.

- HASTA QUE. Expresa el **límite de una acción**.

    Esperaré aquí sentado hasta que me atiendan.

- SIEMPRE QUE. Expresa una relación de recurrencia entre los hechos, significa 'todas las veces'.

    Siempre que necesites hablar con alguien, yo te escucharé.

EJERCICIOS

Practique (cómo se construye)

1 Haga todas las combinaciones posibles.

Cuando tengas tiempo

nos vemos
nos veremos
me llames
llámame
nos veíamos
nos veríamos
nos llamemos

2 Tache los conectores imposibles.

Antes de
Cuando
Tan pronto como
Nada más
En cuanto
Al
Hasta que
Antes de que
Mientras
Después de
Siempre que

+ PRESENTE DE SUBJUNTIVO

3 Transforme estas frases para expresar tiempo futuro. Fíjese en el ejemplo.

Ej.: *Cuando el trabajo está terminado, me relajo.* → *Cuando el trabajo **esté** terminado, **me relajaré**.*

1. Cuando tengo tiempo, viajo fuera de mi país.

....

2. Nunca hablo de estos temas hasta que estoy seguro.

....

3. Voy a verlo siempre que tengo una oportunidad.

....

4. En cuanto llego a casa me quito los tacones.

....

5. Se pone a limpiar el bar después de que se han ido los clientes.

....

Practique (cómo se usa)

4 **Transforme el infinitivo y elija el conector adecuado. Escuche y compruebe.**

(34)

Ej.: *En cuanto / siempre que (llegar)* .... *a casa, tengo que cargar el celular.*

→ ***En cuanto llegue*** *a casa, tengo que cargar el celular.*

1. > ¿Tienes mucha prisa?

   < Sí, mucha, tengo que devolver este libro *antes de que / cuando* (cerrar) ....
   la biblioteca.

2. > *En cuanto / hasta que* (terminar) .... el máster, me voy a ir de vacaciones
   una semana.

   < ¡Qué suerte! Yo no puedo tomarme ni un día de descanso.

3. > Oye, ten mucho cuidado *cuando / después de que* (cruzar) .... Aquí los
   coches van como locos.

   < Gracias, pero donde yo vivo es igual.

4. > ¿Qué hacen? ¿Me esperan o van directamente al teatro?

   < De aquí no nos movemos *hasta que / cuando* tú (llegar) ....

5. > Estaré aquí *antes de / siempre que* me (necesitar) ....

   < Lo sé, tú sí que eres un amigo.

6. > Me quedaré en esta casa *mientras / cuando* nadie me (decir) .... que tengo
   que irme.

   < Tú verás lo que haces, pero es mejor irse *cuando / antes de que* te (echar) ....

5 **Responda las preguntas usando una de las expresiones que están entre paréntesis y un conector temporal de acuerdo con las indicaciones.**

Ej.: *¿Te da tiempo de ir a correr antes de venir al trabajo? ¿Y a qué hora te levantas?*

El conector tiene que expresar anterioridad.

(Acostar a los niños, salir el sol, anochecer) → ***Antes de que salga el sol.***

1. ¿Cuándo me vas a explicar qué está pasando?
   El conector tiene que expresar un hecho inmediatamente anterior. *(No tener ni idea, estar
   seguro, no saberlo)*

   ....

2. Aún llueve, pero menos, ¿piensas quedarte aquí mucho tiempo?
   El conector tiene que expresar el límite de una acción. *(Dejar de llover, empezar a llover, llover)*

   ....

3. ¿Y cuándo tengo que hablar yo?

El conector tiene que expresar anterioridad. *(Empezar a hablar el anterior conferenciante, irse todo el mundo, terminar el anterior conferenciante)*

....

4. Muchas gracias. Lo he pasado muy bien con vosotros este verano, ¿puedo volver alguna vez?

El conector tiene que expresar todas las veces. *(Yo no estar, traer dinero, querer)*

....

(2: 35)

6 **Lea el texto y responda a las preguntas usando el conector adecuado sin que se repita ninguno. Después, escuche y compruebe.**

Francisco tiene 20 años y es un chico muy activo. Por las mañanas se levanta pronto y nada en la piscina de su casa cuando todo el mundo está durmiendo. Lo primero que hace siempre al llegar a la universidad es ir a la cafetería y tomarse un café con un pincho de tortilla. Esta tarde sus clases terminan a las 2, y a las 3 tiene que estar en la academia de pintura, por eso tendrá que salir corriendo y no se puede entretener ni un minuto. Le gusta la pintura abstracta y en el futuro piensa dedicarse a pintar. Hoy llegará a casa tarde; primero llegará su hermana Rosalía, pero a él le gusta cocinar y los dos cenarán juntos lo que cocine Francisco al llegar a casa. Esta noche se va a acostar tarde, porque espera la última llamada de su novia, que vive en Canadá.

1. ¿Cuándo nada Francisco? (levantarse todo el mundo)

....

2. ¿Cuándo se tomará un café y un pincho de tortilla? (llegar a la universidad)

....

3. ¿Cuándo irá a una clase de pintura? (terminar las clases en la universidad)

....

4. ¿Cuándo piensa dedicarse a la pintura abstracta? (tener ocasión)

....

5. ¿Cuándo cenará Rosalía? (llegar Francisco)

....

6. ¿Hasta cuándo va a esperar Francisco para irse a la cama? (llamar su novia desde Canadá)

....

MIS CONCLUSIONES

7 **Elija la opción correcta.**

1. El presente de subjuntivo en las temporales se usa para referirse a acciones del pasado / del presente / del futuro ....

2. *Hasta que* indica el inicio de una acción / una acción en desarrollo / el límite de una acción ....

3. Para expresar inmediatez usamos *tan pronto como* / *cuando* ....

8 **Señale la opción correcta.**

1.

a. *Cuando* y otros conectores temporales, si se refieren al futuro, llevan detrás el futuro imperfecto de indicativo.

b. *Cuando* y otros conectores temporales, si se refieren al futuro, no pueden llevar detrás el futuro imperfecto de indicativo.

c. *Cuando* y otros conectores temporales, si se refieren al futuro, pueden llevar detrás en algunos casos el futuro imperfecto de indicativo.

2.

a. Los adverbios temporales *antes* y *después* llevan siempre subjuntivo detrás.

b. Los conectores temporales *antes de* y *después de* llevan siempre subjuntivo detrás.

c. El conector temporal *antes de que* lleva siempre subjuntivo detrás.

Para que no me olvides

PRESENTE DE SUBJUNTIVO (V). LA EXPRESIÓN DE LA FINALIDAD

 FÍJESE!

(2: 36)

¿Para qué son esas tijeras?

Para que me **cortes** el pelo.

¿Has ido alguna vez a la peluquería **a que te corten** el pelo?

La verdad, nunca.

Así se construye

• **Conectores de finalidad**

Para que A fin de que / con el fin de que A que	**+ subjuntivo**	Para A fin de / con el fin de A	**+ infinitivo**

He venido (yo) a que me invites (tú) a un café.   He venido (yo) a invitarte (yo) a un café.

         DISTINTO SUJETO   MISMO SUJETO

– Los conectores y expresiones de finalidad llevan indicativo en las preguntas, es decir, en oraciones no subordinadas.

    ¿Para qué **llamaste** a Lucía? ¿A qué **has venido**?

– La oración final generalmente va al final del enunciado, pero también puede colocarse al principio. Si está al principio del enunciado, va separada del resto por una coma (,).
A + infinitivo y A que + subjuntivo solo pueden ir al final.

    Para que me entiendas, te lo repito de nuevo.

    Te lo repito de nuevo **para que** me entiendas.

    *A que me ayudes con el español, vengo. → Vengo **a que** me ayudes con el español.

Así se usa

- Las oraciones finales expresan la finalidad o el objetivo de una acción:

  *Esta foto es **para que** no te olvides de mí.*

  *He venido **a fin de que** hablemos los dos con más calma.*

  – A fin de (que) / Con el fin de (que) se suele usar en contextos formales y por escrito:

  *Tiene que llover más a fin de que no haya sequía. → *Tiene que llover más **para que** no haya sequía.*

  – A que indica la finalidad por la que se va a algún sitio, por eso solo puede ir con verbos de desplazamiento o dirección:

  ***Voy** a la secretaría **a que** me den una dirección.*

  Te he comprado un libro a que te informes de este tema → **para que te informes...*

  – Cuando cambiamos el orden normal y escribimos la oración final delante, es para dar más importancia a la finalidad que al resto de la información:

  ***Para que no tardes tanto en volver,** llévate mi coche.*

EJERCICIOS

Practique cómo se construye

1 **Elija una entre todas las formas verbales.**

Ej.: *¿Para qué necesitar / necesitemos / **necesitas** / necesitando esos papeles?*

1. Estoy aquí para *pedirte / que te pida / para que te pido* perdón.
2. ¿A qué *vuelve / volver / vuelva* usted a mi casa?
3. He escrito una carta a fin de que todo *quedar / quedé / quede* más claro.
4. Para que *te enteraste / te enteres / te enterarás,* yo no le he dicho nada a Fátima.
5. Voy al médico a que *me haga / me hace / a que hacerme* una revisión.

2 **Ordene los elementos de dos maneras en los casos en que sea posible. Escuche y compruebe.**

2: 37)

1. acabemos pronto / he preparado / a fin de que / unas fotocopias.
   He preparado unas fotocopias a fin de que acabemos pronto. / A fin de que...

2. al médico / a que / me cure esta herida / tengo que ir.
   ....

3. hablar con seguridad / para / hay que informarse antes.
   ....

4. le he buscado un profesor de Matemáticas a mi hijo / apruebe la asignatura / a fin de que.

....

5. este robot / es una buena ayuda / no tengas que trabajar tanto en la casa / para que.

....

3 **Complete cuando sea necesario, usando signos de interrogación (¿?), que o con el fin de.**

1. ¿Para qué tenemos que reunirnos mañana? Ayer terminamos el trabajo.

2. He comprado un teléfono móvil nuevo para .... hablar con mis amigos de Italia.

3. Hemos hecho este cambio en el horario .... salir media hora antes.

4. No estoy aquí para .... me cuentes nada, solo he venido a ayudarte.

5. A qué vienes a estas horas de la noche.

Practique cómo se usa

4 **Escuche y lea el siguiente texto y subraye los conectores que expresen finalidad.**

(2: 38)

> Todos los sábados, Elena se levanta y cierra las ventanas <u>con el fin de que</u> no entre luz en su habitación y volver a la cama. A veces, Jaime entra a llevarle el desayuno y el periódico. Ella siempre le recibe con una sonrisa y se toma el café rápidamente para que no se enfríe. Jaime pone siempre una flor en la cama, pero hoy no la ha puesto; ha dejado en su lugar un papel y un bolígrafo, ¿con qué finalidad? Elena no dice nada para mantener el suspense pero lee la nota con atención, a fin de que no se le escape ningún detalle: "Elena, después de cuatro años dejándote flores, aún no sé cuál te gusta más, por favor, escribe en este papel qué flor te alegra más el día".
> Elena ya no tiene sueño, va a buscar a Jaime.
> > Hola, Elena. ¿Qué haces levantada? Ya sé, ¿a que no te ha gustado el desayuno? Las tostadas estaban un poco duras, ¿no?
> < No, están perfectas, tú eres perfecto, solo vengo a que me des un beso porque lo necesito.
> Le enseña el papel, en él ha escrito: "Mi flor preferida es la flor que por las mañanas de los sábados me traes tú para hacerme feliz todo el día y todos los días".

5 **Responda a las preguntas expresando finalidad. Tenga en cuenta el contexto.**

1. En una conferencia, usted es el conferenciante y ha preparado unas fotocopias con ejercicios para los asistentes.
    > Perdone, estas páginas que nos han entregado, ¿para qué son?
    < *Para que ustedes practiquen.*...

2. Usted tiene que ir al dentista porque tiene que sacarse una muela.
    > Hola, ¿adónde vas, Raimunda?
    > ....

3. Usted se va a Alaska este invierno y se ha comprado un abrigo de pura lana: no quiere pasar frío allí.

> ¡Bonito abrigo! ¿Te lo has comprado porque da mucho calor?

< ....

4. Usted le ha comprado una agenda a un amigo muy despistado, y tiene mucho interés en decirle que no debe olvidarse de anotar todo lo importante. Su amigo todavía no ha abierto el regalo.

> ¡Huy! ¿Qué es esto? ¿Un libro? Venga, dime qué me has comprado.

< ....

6 **Complete el diálogo con un conector o con una expresión de finalidad y alguno de los siguientes verbos: *saber, ver, dar, servir*.**

> ¿Qué podemos hacer (1) ......*para*...... solucionar el problema del agua?

< En realidad, (2) .... haya más agua, tiene que llover más, y eso no podemos resolverlo. Lo importante es informar bien a la gente (3) .... no gaste agua inútilmente. Podemos hacer una campaña publicitaria, ¡ah!, y una encuesta.

> ¿Una encuesta? ¿Y para qué (4) .... una encuesta en este caso?

< Pues, (5) .... qué hábitos tiene la gente.

Claro, los resultados de la encuesta pueden servirnos (6) .... orientar mejor la campaña. Lo primero que tenemos que preguntar es: "¿ (7) .... utiliza usted el agua? ¿Cuántos litros gasta al día?".

> Sí, pero (8) .... las personas cambien de hábitos, es necesario dar una buena información: tenemos que explicar el problema de la sequía y poner fotos a fin de que todo el mundo (9) .... cómo están nuestros embalses actualmente: secos.

De acuerdo, voy a ir al Ministerio de Medio Ambiente.

< ¿Y (11) .... vas allí?

A (12) .... información oficial.

M I S   C O N C L U S I O N E S

7 **Marque verdadero (V) o falso (F).**

a. Las expresiones de finalidad que llevan la conjunción *que* van siempre acompañadas de subjuntivo: ......

b. *A que* siempre va acompañado de verbos de movimiento: ......

c. *A* siempre tiene que llevar la conjunción *que* para expresar finalidad: ......

8 **Responda a las preguntas.**

1. ¿Cuándo se construyen con indicativo los conectores de finalidad? ....

2. ¿Qué sentido tiene poner al principio del enunciado las expresiones de finalidad? ....

3. ¿Qué expresión de finalidad se usa en contextos más formales? ....

¡FÍJESE!

 (2: 39)

Te suplico que me **perdones**. No me reía de ti. De verdad, me encantan tus gafas.

¡**Quiero que ordenes** tu habitación antes de cenar o te preparas tú mismo la cena!

Así se construye

Verbos de influencia son los que buscan una reacción del interlocutor, como *aconsejar, pedir, querer, rogar, sugerir*…

- **Estructura**

  – Verbos que pueden llevar o no OI (objeto indirecto) delante: *aconsejar, recomendar, pedir, querer, rogar, sugerir, ordenar, mandar*, etc.
    - ○ (Me, te, le, nos, os, les) + verbo de influencia + *que* + verbo en subjuntivo
      Sugiero que veas esta película, es muy entretenida.
      Les sugerimos que vean esa exposición, es buenísima.
    - ○ (Me, te, le, nos, os, les) + verbo de influencia + verbo en infinitivo
      Propongo ver esta película. / **Le propone salir** a cenar.

  – Verbos que no pueden llevar OI delante: *querer, necesitar*…
    - ○ Verbo de influencia + *que* + verbo en subjuntivo
      Quiero que lean este libro para el examen oral.
      Necesitamos que nos ayuden o no terminaremos a tiempo.

- **Concordancia**

Verbo de influencia en $\left\{ \begin{array}{l} \text{presente} \\ \text{pretérito perfecto} \\ \text{futuro} \end{array} \right\}$ + $\begin{array}{l} \text{infinitivo} \\ que + \text{presente de subjuntivo} \end{array}$

Me pide / me ha pedido / me pedirá que lo ayude. / Me aconseja / me aconsejará estudiar español.

¡ATENCIÓN!

Querer y *necesitar*, como verbos de influencia, no pueden construirse con infinitivo.
(→ Unidad 24)

Así se usa

- **Construcciones con pronombre de OI**

Con este pronombre de OI nos referimos a una persona concreta, que es normalmente el sujeto del verbo que va en infinitivo o en subjuntivo.

Te recomiendo estudiar más. = *Te recomiendo que estudies más.* (Yo recomiendo, tú estudias).

Les aconsejo tomar el metro. = *Les aconsejo que tomen el metro.* (Yo aconsejo, ustedes toman el metro).

- **Construcciones sin pronombre de OI**

 – En construcciones con infinitivo, cuando no usamos el pronombre, hablamos en general.

 Yo aconsejo ver esa película (a cualquiera).

 – En construcciones con *que* + subjuntivo.

¡ATENCIÓN!

Si usamos *sugerir* o *proponer* sin pronombre, podemos referirnos a *nosotros*.

 Sugiero cambiar de planes. = *Sugiero que cambiemos de planes.*
 Propongo hacer una fiesta. = *Propongo que hagamos una fiesta.*

- **Construcciones con QUE + subjuntivo**

Los verbos de influencia buscan una reacción en el interlocutor; por tanto, hay dos sujetos diferentes: el que pretende influir y el influido. Tratamos de influir:

 – Expresando una petición, un ruego o una súplica: con verbos como *pedir, solicitar, suplicar, rogar...*

 Te suplico que me escuches. Le pediré a mi jefe **que me deje** salir antes.

 – Expresando una sugerencia o un consejo: con verbos como *sugerir, aconsejar, recomendar...*

 Sugiero que no vayamos ninguno, en señal de protesta.
 Te aconsejo que bebas té con miel si te duele la garganta.

– Expresando una orden o mandato: con verbos como *ordenar, mandar, exigir…*

> **¡Le exijo que se disculpe** *inmediatamente.*

• Algunos verbos pueden indicar influencia o algo distinto, dependiendo del contexto y de la intención comunicativa del hablante.

QUERER

– Puede expresar deseo (→ Unidad 24).

> *Quiero ir a México. / Quiero (= deseo) que me salga bien este examen.*

– Puede expresar petición o mandato.

> *Quiero que llegues a casa antes de las doce. = Tienes que llegar a casa antes de las doce.*

NECESITAR

– Expresa necesidad.

> *Necesito descansar un rato.*

– Puede significar necesidad pero con un matiz de petición.

> *Necesito que estés aquí mañana para sustituirme.*

• Verbos como *pedir, solicitar, rogar…* son excepciones: funcionan de otra manera.

> **(Le) pido salir** *un poco antes. (Yo pido, yo salgo).*

EJERCICIOS

Practique cómo se construye

1 **Escriba el pronombre de objeto indirecto (OI) adecuado donde sea posible.**

Ej.: **Les** *sugiero que vayan a visitar el Museo del Prado.*

1. .... pido, por favor, que no me grites más.
2. .... quiero que estudiéis las páginas 3 y 4 del libro.
3. .... aconsejan siempre que tenga una vida más tranquila, pero no lo consigo.
4. .... necesitamos que nos entreguéis ahora mismo vuestro informe.
5. .... suplico que digáis la verdad delante de todo el mundo.
6. No .... rogaré otra vez que me haga este favor.

2 **Marque ✓ en los verbos que pueden llevar OI y ✗ en los que nunca llevan OI.**

1. Sugerir ☑	5. Recomendar ☐	
2 Pedir ☐	6. Aconsejar ☐	
3. Rogar ☐	7. Querer ☐	
4. Necesitar ☐	8. Suplicar ☐	

3 Subraye la opción correcta.

Ej.: *Quiero que vienes*
Te quiero que vengas
Quiero que vengas

} *a mi fiesta, sin ti no será igual.*

1. Necesitamos que trabajar
Os necesitamos que trabajéis
Necesitamos que trabajéis

} unas horas extra para terminar a tiempo.

2. Te sugiero comer más verdura
Te sugiero que comer más verdura
Te sugiero que comes más verdura

} o tendrás el colesterol por las nubes.

3. ¿Quieren que los ayudemos?
¿Quieren que los ayudamos?
¡Nos quieren que los ayudemos?

} Por nosotros no hay ningún problema.

Practique cómo se usa

2: 40)

4 Escuche o lea los enunciados e identifique o subraye el verbo de influencia. Después, clasifíquelo dentro del cuadro.

Ej.: *Me ha pedido que le ayude con el trabajo.*

1. Por favor, te ruego que lo pienses con calma antes de tomar una decisión así.

2. Os propongo pasar el examen del viernes al lunes siguiente.

3. Jiménez, quiero que pase ahora mismo por mi despacho.

4. No te pido que me creas, pero sí te pido que me escuches.

5. Les recomiendo que hagan este ejercicio cinco minutos todos los días para eliminar la tensión en la espalda.

6. Carlos me ha sugerido que cambie el color de mi habitación porque dice que el azul queda mejor.

7. Mis padres me exigen que apruebe todo si quiero irme de vacaciones.

Petición o súplica	Sugerencia o propuesta	Mandato u orden	Consejo
Ha pedido			

5 Observe los siguientes pares contrastados y señale la opción en la que *querer* y *necesitar* sean verbos de influencia.

1.

   a. Quiero ir a Lausana a terminar mis estudios el año que viene, ya he solicitado una beca.

✓ **b.** Hijo, tu madre y yo queremos que vayas a terminar tus estudios a Lausana el año que viene. Te hemos inscrito en la mejor universidad.

2.

   a. Necesito ayudar a los demás para sentirme feliz.

   b. Laura, necesito que me ayudes mañana en la reunión, todos quieren dejarme fuera del proyecto.

3.

   a. Quiero que me pidas perdón o no te volveré a hablar más.

   b. Quiero que todo les vaya bien. ¡Mucha suerte!

4.

   a. Necesito que me dé el aire, no me encuentro bien.

   b. Necesitamos que vayáis ahora vosotros a los archivos, nosotros mientras tanto vamos a entretener al jefe.

  6 Complete con el pronombre donde el contexto lo exija. Escuche y compruebe.

(2: 41) Ej.: > *Eres demasiado duro con tus alumnos.*

    < *Puede ser, pero* **te** *ruego que no opines sobre mi relación con esta clase, por favor.*

1. > La gente está muy estresada hoy en día y por eso hay muchas enfermedades de corazón.

   < Por eso, yo siempre ……… recomiendo hacer un poco de ejercicio para combatir el estrés.

2. > Ya no sé qué hacer con este dolor de cabeza… No se me quita ni tomando calmantes.

   < ……… aconsejo tomar un baño caliente y descansar con la luz apagada, verás cómo te sientes mejor; es que estás demasiado cansada.

3. < Bueno, chicos, y ahora que hemos llegado al museo y está cerrado, ¿qué hacemos?

   > ……… propongo ir a tomar algo a una cafetería que está aquí cerca.

4. > ¡Qué lío! Todo el mundo quiere hacer cambios, pero no nos ponemos de acuerdo y hay demasiadas tensiones entre nosotros.

   < ¡Cuánto lo siento, hombre! Yo siempre que hay situaciones de este tipo ……… aconsejo primero elegir un secretario y un coordinador.

7 Reaccione usando un verbo de influencia con las frases siguientes.

> dar más tiempo para terminar / relajarse e intentar divertirse / no hablar así / salir de aquí ahora mismo / organizar un baile / tener un poco de paciencia / *tomarse un calmante*

Ej.: > *¡Cómo me duele la cabeza!* < *Te aconsejo / te sugiero que te tomes un calmante.*

1. > Me siento fatal entre toda esta gente, creo que este no es mi lugar. No he debido venir.

   < Venga, mujer, ...

2. > Miguel es una persona insoportable y sobre todo es un egoísta. Jamás he conocido a una persona más inútil.

   < .... delante de mí, por favor. Ni de él ni de nadie. No me gusta.

3. > He venido a tu despacho solo para decirte que mañana tú ya no estarás aquí, estaré yo.

   < .... Hasta mañana sigo siendo tu jefa.

4. > Estamos hartos de esperar durante horas aquí sin que nos digan nada. ¡Esto es una vergüenza!

   < Señores, señores, por favor, les entendemos perfectamente y ....
   ....

5. < ¿Qué podemos hacer para celebrar la llegada de Ismael?

   > ¡...! A Ismael no le gustan los recibimientos formales.

6. > ¿Qué te pasa? ¿Estás agobiado?

   < Sí, no puedo más, sé que esto es urgente para ti pero ....
   ....

M I S   C O N C L U S I O N E S

8 ¿Verdadero (V) o falso (F)?

a. *Querer* y *necesitar* con infinitivo no sirven para influir en el receptor / interlocutor: ......

b. El pronombre de OI siempre indica quién realiza la acción expresada en el verbo de influencia: ......

c. Si nos referimos a la gente en general, sin especificar quién, no necesitamos el pronombre de OI: ......

30 Me dijo que tenía hambre
ESTILO INDIRECTO

 **FÍJESE!**

(2: 42)

¿Quién? ¿Luis? No puede ser.

Luis **me ha dicho que** Pepe **se ha enamorado** de Petri.

¡Hala! Pues a mí Luis **me dijo** ayer **que** Pepe **quería** a Teresa.

Pepe **me ha dicho que** el lunes Ángela **vino** con una venda en la cabeza. ¿Tú sabes algo?

Es que ella **me contó que** el domingo **se peleó** con su vecina porque su perro se había hecho pis en su puerta.

Así se construye

Al transmitir a otras personas lo que hemos oído, leído o lo que nosotros mismos hemos pensado, podemos cambiar de situación espacial y temporal. Por eso, el mensaje original experimenta cambios que afectan:

– a los tiempos verbales;

– a la persona verbal;

– a los pronombres;

– a las expresiones de tiempo o espacio.

- **Tiempos verbales para introducir el estilo indirecto**

  - **Presente y futuro de indicativo**: no cambiamos de situación temporal, pero puede haber cambio espacial. Las transformaciones no afectan al tiempo verbal pero sí a las personas y marcadores espaciales.

    *"Mañana **lloverá** en todo el país"* (mensaje 1).

    < **(Dicen) Que** *mañana **lloverá** en todo el país.*

    *"**Aquí**, en **nuestro** país, **tenemos** una ley de tráfico muy dura"* (mensaje 2).

    > *¡Fíjate!* **Dice que allí**, en **su** *país,* **tienen** *una ley de tráfico muy dura.*

    "Yo no estoy de acuerdo con la decisión de Berta" (mensaje 3).

    > *Entonces cuando la vea le **diré que tú** no estás de acuerdo.*

  - **Pretérito perfecto de indicativo**: la información se mantiene dentro de un espacio temporal que llega hasta ahora. Las transformaciones pueden afectar o no al tiempo verbal pero sí a las personas y marcadores espaciales.

    *"**Aquí**, en **nuestra** empresa, **hay** sala para fumadores".*

    > *¡Fíjate!* **Ha dicho que allí**, en **su** *empresa,* **hay** *una sala de fumadores.*

    *"**No puedo ir** a la reunión porque **tengo** que llevar a Flavio al hospital"* (mensaje 4).

    > *¿Dónde está Irene?*

    < **Ha dicho que no puede / no podía venir** *porque* **tiene / tenía** *que estudiar.*

  - **Pretérito indefinido / pretérito imperfecto**: la información cambia de espacio y de tiempo y eso afecta a todos los elementos de la frase.

    (Mensaje 1) **El jueves pasado dijeron que llovería** *en todo el país.*

    (Mensaje 2) **El otro día oí que** *en no sé qué país* **tenían** *una ley de tráfico muy dura.*

    (Mensaje 4) *Irene* **dijo que no podía venir** *porque* **tenía** *que llevar a Flavio al hospital.*

    Mi abuela siempre **decía que** *para salir de pobres* **había que estudiar.**

- **Otros cambios**

  - Verbos: *venir > ir, traer > llevar.*

  - Expresiones de tiempo: *ayer > el día anterior; mañana > al día siguiente.*

  - Deícticos: *esta, este, esto > esa o aquella, ese o aquel, eso o aquello.*

    *"Mira, Sonia, **ayer** Luis me trajo **este** informe corregido"* (mensaje).

    En estilo indirecto:

    Mila me dijo que **el día anterior** *Luis le había traído* **ese** *informe corregido.*

LUNES 20		LUNES 20
LO QUE SE DICE		**LO QUE SE TRANSMITE**
PRESENTE		PRESENTE
Tengo hambre.		*Tiene hambre.*
IMPERFECTO		IMPERFECTO
Estudiábamos toda la tarde.		*Estudiaban toda la tarde.*
PERFECTO		PERFECTO
Hoy me he levantado tarde.		*Hoy se ha levantado tarde.*
INDEFINIDO	**DICE QUE...**	INDEFINIDO
Ayer me levanté tarde.	**HA DICHO QUE...**	*Ayer se levantó tarde.*
	DIRÁ QUE...	
PLUSCUAMPERFECTO		PLUSCUAMPERFECTO
(Yo) nunca había estudiado esto.		*Él nunca había estudiado eso.*
FUTURO		FUTURO
El miércoles haré el examen.		*El miércoles hará el examen.*
IMPERATIVO		PRESENTE DE SUBJUNTIVO
Habla en español.		*Hable en español.*

LUNES 20		VIERNES 24
LO QUE SE DICE		**LO QUE SE TRANSMITE**
PRESENTE		IMPERFECTO
Tengo hambre.		*Tenía hambre.*
IMPERFECTO		IMPERFECTO
Estudiábamos toda la tarde.		*Estudiaban toda la tarde.*
PERFECTO		PLUSCUAMPERFECTO / INDEFINIDO
Hoy me he levantado tarde.	**DIJO QUE...**	*Ese día se había levantado / se levantó tarde.*
	DECÍA QUE...	
INDEFINIDO		PLUSCUAMPERFECTO / INDEFINIDO
Ayer me levanté tarde.		*El día anterior se había levantado / se levantó tarde.*
PLUSCUAMPERFECTO		PLUSCUAMPERFECTO
Nunca había estudiado esto.		*Nunca había estudiado eso.*
FUTURO		CONDICIONAL
El miércoles haré el examen.		*El miércoles haría el examen.*

• Cuando se reproduce una pregunta, la estructura es:

– Verbo *preguntar* + interrogativo.

"*¿Cuándo es el examen?*".

*Me ha preguntado **cuándo** es el examen. / Me preguntó **cuándo** era el examen.*

– Usamos *si* cuando en la pregunta no hay un interrogativo: *Preguntar + si + pregunta.*

"*¿Has hecho los ejercicios?*".

*Me ha preguntado **si** he hecho los ejercicios. / Me preguntó **si** había hecho los ejercicios.*

PERO cuando el sujeto de la frase es algo escrito –el periódico, una carta, un correo electrónico, etc.–, el verbo introductor suele ir en imperfecto.

*El periódico de ayer **decía** que **se acercaba** un huracán.*

Así se usa

• El estilo indirecto sirve para transmitir tanto las palabras y los pensamientos de otras personas como los nuestros.

– Verbos que sirven para introducir el estilo indirecto: *decir, contar, pensar, informar de, anunciar, comentar, añadir, afirmar, preguntar, contestar, soñar, asegurar...*

Me ha contado que está embarazada.

Dije que yo no pensaba ir.

E J E R C I C I O S

Practique cómo se construye

1 **Complete las frases con las formas verbales y expresiones de tiempo adecuadas.**

1. DOUGLAS: "En **mi** país **trabajaba** por la tarde".

   a. Douglas ha dicho que en .....*su*..... país ....*trabajaba*.... por la tarde.

   b. Douglas dijo que en .... país .... por la tarde.

2. PILAR: "**Hoy he tenido** tres reuniones".

   a. Hoy. Pilar ha dicho que hoy .... tres reuniones.

   b. Al día siguiente. Pilar me dijo que .... tres reuniones.

3. CARLOS: "**Mañana serán** las elecciones a Presidente (lunes)".

   a. Lunes. Carlos ha dicho hoy que .... las elecciones a Presidente.

   b. Jueves. Carlos dijo el lunes que .... las elecciones a Presidente.

4. ARACELI: "**Ayer no fui** a clase porque **me sentía** mal".

   a. Hoy. Araceli me ha dicho que .... a clase porque .... mal.

   b. Al día siguiente. Araceli me dijo que .... a clase porque .... mal.

2 Cambie la expresión de tiempo según cada situación.

Ej.: VIERNES. Mar: *"**Mañana** compraremos el regalo de Carmelo".*
LUNES. *Mar dijo el viernes que **el sábado** comprarían el regalo de Carmelo.*

1. SÁBADO. Ángeles: "**Ayer** estuvimos cenando en un sitio muy bueno y barato".
DOMINGO. Ángeles nos contó ayer que .... habían estado cenando en un sitio muy bueno y barato.

2. MIÉRCOLES. Rosa: "**Hoy** he comido mucho".
JUEVES. Rosa dijo que .... había comido mucho.

3. SÁBADO. Alexandra: "**Mañana** celebraremos el cumpleaños".
DOMINGO. Alexandra aseguró ayer que .... celebrarían el cumpleaños.

4. LUNES. Astrid: "**Hoy** empieza el congreso".
JUEVES. El lunes Astrid dijo que .... empezaba el congreso.

3 Transforme *venir > ir* y *traer > llevar* cuando sea necesario.

Ej.: Juan → en clase: *"Mañana **traigo** las fotos del viaje".*
Yo → en un bar: *Juan ha dicho que mañana **lleva** a clase las fotos del viaje.*

1. Melissa → en la tienda: "¿Puedes **venir** mañana un poco antes?".
Yo → en casa: Melissa me ha preguntado si puedo .... mañana un poco antes.

2. Charles → en la calle: "¿Quieres **venir** al cine con nosotros esta noche?".
Yo → en casa: Charles me ha preguntado si quiero .... al cine con ellos.

3. Michele → en la universidad: "Mañana **traigo** todas las notas".
Yo → en la universidad: Michele me ha dicho que mañana .... todas las notas.

4. Sarah → en casa: "Mañana **viene** Mara a cenar".
Yo → en casa: Sarah ha dicho que mañana .... Mara a cenar.

4 Escriba lo que ha dicho la profesora y cuénteselo a sus compañeros.

hablar en español en clase / entregar el lunes el trabajo en equipo / no comer en clase / elegir nosotros las actividades / buscar información sobre el tema

LA PROFESORA:	LA PROFESORA HA DICHO
..."*Hablad / hablen en español en clase*"....	.....*que hablemos en español en clase*.......
1.	1. ....
2.	2. ....
3.	3. ....
4.	4. ....

Practique cómo se usa

5 Escriba lo que ha leído en el periódico y cuénteselo a sus compañeros.

> *Las temperaturas se mantendrán altas también en otoño*

> El número de turistas aumentó el pasado verano

> **Bajan los precios de los alquileres**

> **La compañía aérea Siberia anuncia una huelga para las vacaciones de Navidad**

> *Los jóvenes exigen mejores condiciones laborales*

ESTA MAÑANA HE LEÍDO	LA SEMANA PASADA LEÍ
que las temperaturas se mantendrán altas... también en otoño.	que las temperaturas se mantendrían altas... también en otoño.

6 Escriba en estilo indirecto lo que dicen estas personas. Use los siguientes verbos introductores: *darse cuenta, pensar, informar de, soñar* y *anunciar.*

1. Los sueldos subirán una media de un 4% en el sector de los servicios.
2. Federica, tú me engañas con otro, estoy seguro.
3. Mira, llevas una mancha en el pantalón.
4. El año pasado disminuyó el número de fallecidos en accidentes de tráfico.
5. (En un sueño) Ya no hay guerras en el mundo.

1. La portavoz del Gobierno ...*anunció*... que los sueldos subirían un 4%.
2. ¿Sabes? Mi novio .... que ....
3. Menos mal que ayer Lucía .... que ....
4. En las noticias de anteayer la policía .... que ....
5. El otro día (yo) .... que ....

7 **Lea lo que le dice esta familia al padre. Después, imagine que es el padre y reproduzca lo que le han dicho.**

Lunes 18

Hijo mayor: Papá, mañana no puedo recoger a Pedro del cole.

Hijo mediano: Papá, esta mañana no he podido comprar lo que me encargaste porque no llevaba suficiente dinero.

Hijo pequeño: Papá, ayer me regañaron en el comedor porque comí muy poco, pero hoy me lo he comido todo.

La esposa: El miércoles me voy a Suiza, tendrás que encargarte de hacer la compra. Volveré el viernes por la tarde.

Lunes 18

¡Qué día! Mi hijo mayor me ha dicho que ....

Mi hijo mediano me ha dicho que ....

Menos mal que mi hijo pequeño me ha dicho que ....

....

Mi esposa me ha dicho que ....

....

Viernes 22

El lunes fue un día horrible. Mi hijo mayor me dijo que ....

....

Mi hijo mediano me dijo que ....

....

Menos mal que mi hijo pequeño me dijo que ....

....

Mi esposa me dijo que ....

....

8 **Escriba las preguntas que le han hecho.**

a. ¿Por qué no vienes a la fiesta?

Me ha preguntado ....

b. ¿Cuánto tiempo hace que estudias español?

Me preguntó ....

c. ¿Te gusta leer?

Me ha preguntado ....

d. ¿Has visto alguna película española?

Me preguntó ....

(, 43)

9 Lea la siguiente nota que le dejó Laura a Alejandro hace una semana y completa los enunciados haciendo las transformaciones necesarias. Escuche y compruebe.

> Alejandro, mi amor, me voy por unos días. No soy valiente y no tengo fuerzas para despedirme de otra manera. ¿Me podrás perdonar? Estoy bien y voy a volver pronto pues solo necesito pensar un poco en nosotros. Verás, necesito un poco más de tranquilidad. No busco nada, no quiero más libertad, solo tengo que irme y pensar sin presiones. ¿Te acuerdas del sueño que tuve?: Estamos los dos juntos, tú me abrazas pero después te vas poco a poco y yo te busco desesperadamente pero no te encuentro. Siento que te pierdo y por eso he decidido marcharme un tiempo. Pero no olvides esto: te quiero muchísimo.
>
> Laura

a. Laura dijo que *se iba por unos días.*..
b. Afirmó que ella no ....
c. También aseguró que ....
d. Explicó que solo ....
e. Y escribió también que ....
f. Y le comentó que ....
g. Soñó que ....
h. Ella sintió que ....
i. Pero aseguró que ....

M I S   C O N C L U S I O N E S

10 Marque verdadero (V) o falso (F).

a. Cuando los cambios no afectan a los tiempos verbales tampoco afectan a los marcadores espaciales: ......
b. El verbo *venir* suele cambiarse por el verbo *ir:* ......
c. Para transmitir información necesitamos siempre *que:* ......
d. Cuando se transmite la información con *ha dicho que* o *dice que* no suele haber cambios temporales: ......

11 Subraye la opción adecuada.

1. Me ha preguntado *que / si* he hecho los ejercicios.
2. Me ha preguntado *qué / si* clase tengo.
3. Me ha dicho que *venga / vaya* a su casa mañana.

31 Llaman a la puerta

EL SUJETO. PRESENCIA Y AUSENCIA

¡FÍJESE!

(2: 44)

Llaman a la puerta.

Yo tampoco.

Pues **yo** no abro.

LLUEVE / HACE FRÍO

Así se construye

- El sujeto siempre concuerda con el verbo.

  Yo no **he** dicho eso.

  Los seres humanos piensan.

  Si te **duelen los ojos**, no trabajes tanto con el ordenador.

- En las oraciones afirmativas y negativas el sujeto suele ir delante del verbo.

  La Tierra es un planeta.

  Ella no cree en ti.

- En las oraciones interrogativas y con imperativo suele ir detrás del verbo.

  ¿Qué es **la Tierra**? / ¿Has dicho **tú** eso?

  Encárgate **tú** de reservar el hotel.

Así se usa

En español no siempre es necesario explicitar el pronombre sujeto, porque las formas verbales señalan las personas del discurso.

- **Presencia de sujeto**
  - Cuando se omite un verbo.

    > Quiero irme de vacaciones.

    < **Y yo también**.

  - Para contrastar entre varias personas del discurso o para identificar a alguien dentro de un grupo.

    > ¿Te ha gustado la foto de la cena?

    < Todos parecéis muy felices, **tú estás** especialmente sonriente.

    > Bien, estamos todos de acuerdo, ¿no?

    < Sí, pero **yo querría** añadir algo más.

– Para evitar la ambigüedad. La tercera persona verbal puede referirse a *él*, a *ella* o a *usted*.

> **Tiene** que ir a un psiquiatra.

< *¡¿Cómo se atreve!?*

> *No, no, usted no; su amigo, el amigo del que me habla.*

- **Ausencia de sujeto**

En español, la ausencia de sujeto es lo más frecuente. Normalmente, no se pone el sujeto cuando está claro en el discurso. En este caso, simplemente, se omite.

He hablado esta mañana con Carmen y me ha dicho que podemos estar tranquilas.

– Con los llamados verbos meteorológicos. Se usa la tercera persona del singular sin pronombre.

Nunca **llueve** *en esta época. / El año pasado* **nevó** *en la costa.*

– Con las construcciones impersonales *hay / hay que / hace / hace que...*

No **hay** *nada en el frigorífico. /* **Hace** *tiempo que no sé de ti.*

– En algunas oraciones con sujeto implícito, cuando el hablante no sabe o no quiere decir quién es el agente. En este caso se usa la tercera persona del plural y no siempre se relaciona con un agente plural.

(Suena el teléfono)

> **Están llamando** (pero se supone un solo individuo al otro lado del teléfono).

< *Ya contesto yo.*

¿Cuándo **te operan***?*

> **Han descubierto** *nuevos casos de corrupción* (sabemos que el sujeto es la policía).

< *No me extraña, esta vez* **la policía** *ha ido hasta el fondo.*

EJERCICIOS

Practique  cómo se construye

1 Escriba el sujeto, si lo hay, en estos enunciados.

Ej.: *No lo olviden: tienen que entregar los trabajos el viernes próximo.* → **ustedes.**

1. Cuando voy a casa de mis amigos, siempre me enseñan las fotos de sus vacaciones.

....

2. Para ser una campeona, hay que entrenarse muchas horas. ....

3. En mi empresa están buscando gente con experiencia. ....

4. Tenemos que tomar una decisión hoy mismo. ....

5. Esta noche ha llovido mucho. ....

6. ¿Estuvieron en la reunión? Es que no los vi. ....

7. No se preocupen, no tienen la culpa. ....

2 **Indique el sujeto en estos enunciados. Después, cambie las oraciones con el sujeto entre paréntesis.**

1. ¿Irá tu hermana a la fiesta? (Tus amigos).
2. Hoy en día el ordenador es imprescindible para trabajar. (Las nuevas tecnologías).
3. Me encantan los helados de chocolate. (Tu mirada).
4. Hace un frío que pela. Abrígate bien. (Tres días que no para de nevar / vosotros).
5. Los locos y los niños dicen la verdad. (Nosotros).
6. No me gusta el calor, por eso en verano me voy al norte. (Las playas del sur / nosotros).

3 **Ordene las frases y subraye el sujeto al que se refieren.**

Ej.: ¿el / Llegó / de / nuevo disco / Maná? → ¿Llegó _el nuevo disco de Maná?_

1. vi / entrar / solo / Yo / a una persona. ....
2. ¿un poco / Quieren / más / tarta / de? ....
3. pasado / mucho más / nevó / El invierno / que este. ....
4. ¿los alumnos / la información / Tienen / necesaria / nuevos? ....
5. poco tiempo / la tienda / Han cerrado / de ropa / hace. ....
6. díselo / Diego / te gusta, / Si. ....
7. ¿en avión / ustedes / Vendrán / o / en coche? ....
8. al decano / Pregúntale / porque / tú / a mí / da miedo / me ....

Practique (cómo se usa)

(2: 45)

4 **Complete con la opción adecuada. Después, escuche y compruebe.**

1. > ¿Vais a ir a la excursión del sábado? (Nosotros / Ø).
   < ......_Nosotros_...... no, ya conocemos Baeza.
   # ¡Ah! Pues yo sí, me apetece mucho.
2. > .... tenemos que comprar un ordenador nuevo. (Nosotros / Ø).
   < ¿Ya no funciona el que tenéis?
3. > Es un escándalo, no nos dan suficiente información.
   < Pues es fácil, ... preguntad a las personas responsables. (Ustedes / Ø).
4. > Por favor, rellenen este impreso.
   < ¿Todo el mundo tiene que hacerlo? No hablamos muy bien español.
   > Sí, pero .... pueden rellenarlo en su idioma. (Ustedes / Ø).
5. > ¿Qué haces en la estación?
   < Esperando el tren, pero parece que .... llega con retraso. (El tren / Ø).
6. > De todos los medios de transporte, ... es el más cómodo. (El tren / Ø).
   < A mí también me lo parece.

5 Complete los diálogos con los sujetos necesarios en estos contextos. Escuche y compruebe.

1. > No discutáis más. .... haré la comida de Navidad.

   < ¡Pero si .... no sabes cocinar!

2. > Solo .... has sido el responsable de este fracaso.

   < No, no, no. Hay más personas en este proyecto.

3. > ¿Irán sus padres a la graduación?

   < .... no lo sé. Creo que ese día .... están de viaje.

4. > Mucha gente ha protestado por la mala organización.

   < .... no hemos protestado, solo hemos hecho algunas sugerencias.

5. > ¿Quieres .... un café?

   < No, muchas gracias, ... no puedo tomar café.

   # Pues .... sí puedo, además, me encanta el café.

6. > ¡Bienvenidos a nuestra casa!

   < Muchas gracias. .... estamos muy contentos de estar aquí.

7. > ¿Qué opinan .... de la lectura?

   < .... creo que no hay nada mejor que un buen libro.

   # ¿Nada mejor? ¿Cómo puedes .... decir eso? .... prefiero hacer deporte o ver la tele.

   < Pues .... lo paso bien leyendo y haciendo deporte.

M I S   C O N C L U S I O N E S

6 Escriba si estas oraciones tienen sujeto explícito o no.

1. En muchos países asiáticos comen con palillos. ....

2. Este fin de semana vienen unos amigos a visitarme. ....

3. Me han llamado por teléfono para ofrecerme una nueva conexión a internet. ....

4. Han cambiado la fecha del examen. ¿No te informaron el otro día? ....

5. Mis padres llegaron sin avisar y encontraron a mis amigos durmiendo en el salón. ....

7 Marque verdadero (V) o falso (F).

a. En español no se usa nunca el sujeto: ......

b. A veces usamos el sujeto para destacar a alguien dentro de un grupo: ......

c. En *Me gustan las películas de misterio* el sujeto es "las películas de misterio": ......

d. Los verbos meteorológicos llevan sujeto: ......

FÍJESE!

(2: 47)

¿**Lleva** mucho tiempo **pescando**?

¿Y ha tenido suerte?

Pues sí, una hora o dos.

Sí, claro, mire este pez enorme que **acabo de pescar**.

Así se construye

FORMAS NO PERSONALES DEL VERBO

- **El infinitivo** (*hablar, comprender, vivir*)
  - Es la forma verbal que aparece en el diccionario.
  - Puede funcionar como un sustantivo masculino.

    El saber *no ocupa lugar.* / *Dicen que **el poder** corrompe.*

  - Con algunos verbos, el infinitivo va directamente detrás.

    Necesito salir *a pasear, me duele la cabeza.* / *¿**Puedes bajar** el volumen de la tele?*

  - A veces, entre el verbo conjugado y el infinitivo hay una preposición, exigida o no por el verbo.

    *¿**Vienen a comer** este fin de semana?* / ***Traté de decírselo*** *pero no me escuchó.*

  - Otras veces, forma una perífrasis (→ Unidades 20 y 22, nivel Elemental).
    - Verbo conjugado + preposición + infinitivo

      *¿**Vamos a aprender** algunas canciones en este curso?*

      *No sé qué pasa con la red, pero **sigo sin poder** conectarme a internet.*

      *Meli quiere **dejar de fumar**, pero no lo consigue.*

    - Verbo conjugado + que + infinitivo

      Tengo que estudiar *más si quiero aprobar.*

      Hay que dormir *bien para poder rendir al día siguiente.*

○ Verbo conjugado + infinitivo

Debes ser *más cariñoso con tu abuela, ella te quiere mucho.*

• **El gerundio** *(hablando, comprendiendo, viviendo)* (→ Unidad 21, nivel Elemental).

– Algunos son irregulares: e > i, o > u, o intercalan una y.

PEDIR: *pidiendo;* DORMIR: *durmiendo;* LEER: *leyendo*

Otros verbos como PEDIR: vestir sentir, decir, PERO reír: riendo.

Otros verbos como DORMIR: morir, poder...

Otros verbos como LEER: huir, construir, oír...

– Puede funcionar como un adverbio, ya que indica el modo en que se hace algo.

> ¿**Cómo** *llegaste?*

< *Llegué* **andando**.

Me dio la mala noticia **sonriendo**, *por eso me resultó menos desagradable.*

– No lleva preposiciones delante.

– Algunos verbos llevan un gerundio detrás y forman una perífrasis.

> *¿Puedo hablar con Clara?*

< *Es que ahora* **está trabajando** / **sigue trabajando**. *Llámala más tarde.*

• **El participio** *(hablado, comprendido, vivido)*

– Algunos participios son irregulares.

DECIR: *dicho;* ROMPER: *roto;* VOLVER: *vuelto,* etc.

– Puede funcionar como un adjetivo y, entonces, concuerda con el sustantivo en género y número.

La pared *está* **pintada**.

Los trabajos *tendrán que estar* **terminados** *el lunes.*

Juan *parece* **cansado**.

– Algunos verbos llevan un participio detrás y forman una perífrasis.

¡Uf! Ya **llevo corregidos** *veintidós exámenes.*

PERÍFRASIS

• **De infinitivo**

Acabar de ⎤
Dejar de ⎬ + infinitivo
Ponerse a ⎦

> *¿Cuándo has llegado?*

< *Ahora,* **acabo de llegar.**

> *¡Anda! ¿Qué haces aquí? ¿No tienes hoy entrenamiento de fútbol?*

< *No, es que* **he dejado de jugar**.

> *¿Has terminado los ejercicios?*

< *¡Huy, no! Ahora mismo* **me pongo a hacerlos.**

- **De gerundio**

Estar
Llevar   } +   gerundio
Seguir / continuar

      David **sigue / continúa jugando** de portero.

– Estar, seguir, continuar y el gerundio son inseparables salvo casos excepcionales.

      Estamos terminando ya los últimos detalles.

– Entre llevar y el gerundio se puede intercalar una expresión de tiempo.

      Llevo estudiando español bastante tiempo.

      Llevo bastante tiempo **estudiando** español.

¡RECUERDE!

En las construcciones de verbo + infinitivo o gerundio y en las perífrasis, los pronombres pueden ir delante de los verbos o al final formando una sola palabra con el infinitivo y el gerundio.

      Me lo acaba de decir. / Acaba de **decírmelo.**

      Lo quiero probar. / Quiero **probarlo.**

      Lo llevo viendo dos años. / Llevo **viéndolo** dos años.

PERO cuando el primer verbo de la perífrasis se construye con **se,** este siempre acompaña a su verbo.

      Rubén **se puso a criticarnos** sin motivo.   *Rubén se nos puso a criticar.

                                          *Rubén puso a criticársenos.

Así se usa

FORMAS NO PERSONALES DEL VERBO

- **El infinitivo**

– Puede comportarse como un sustantivo y, por ello, realizar sus mismas funciones.

      Me gusta **la novela histórica.** = Me gusta **leer.**

      Quiero **una bebida.** = Quiero **beber.**

      La solución es **un debate abierto.** = La solución es **debatir** abiertamente.

– Usos:

    ○ Dar instrucciones o expresar prohibiciones con carácter general, no dirigidas a alguien en concreto.

      Introducir dinero, **seleccionar** producto, …

      Peligro: **No tocar.**

○ Dar órdenes; este uso lleva delante la preposición **a.**

*Chicos, ¡**a comer**! Si no vienen ya, se quedan sin postre.*

*Bueno, **a trabajar**, a ver si hoy podemos salir antes.*

○ Marcar el tiempo en que algo sucede (→ Unidad 20).

Al + infinitivo = **cuando.**

***Al llegar** a casa, sonó el teléfono.*

• El gerundio

– Indica el modo de realizar una acción. Responde a la pregunta *¿cómo?*

*Ha venido **andando.***

*Se pasa la vida **soñando**.*

– No indica el comienzo ni el final de una acción, sino el desarrollo, la duración, el proceso.

*Se quedó en casa **leyendo**.*

*Dígaselo **cantando**.*

– Indica que una acción sucede al mismo tiempo que otra: simultaneidad.

*Se me ocurrió la idea **viendo** la película.*

*No me concentro **oyendo** música.*

– Es incorrecto el gerundio de posterioridad: el gerundio nunca indica posterioridad a la acción del verbo principal.

*Hubo una explosión ocasionando numerosos heridos.

• El participio

– Funciona como un adjetivo.

***Las puertas** están **cerradas**.*

***El libro** parece **usado**.*

– Puede indicar la manera de realizar una acción al mismo tiempo que expresa el estado de la persona que la realizó.

*María lo observaba todo **admirada**.*

*Alberto compró aquel disco **poco convencido**.*

PERÍFRASIS

• De infinitivo

– *Acabar de* + infinitivo. Expresa algo que ha sucedido un momento antes.

Con este sentido, solo se usa en presente e imperfecto.

> *¿Has hablado con Ana?*

< *Sí, **acabo de hablar** con ella, hace cinco minutos que ha llamado.*

***Acababa de levantarme** cuando llamaron a la puerta.*

– Dejar de + infinitivo. Expresa una acción o un hábito que ya no se realizan. Puede usarse en cualquier tiempo.

> ¿Ahora vas al trabajo en bus?

< Sí, **he dejado de ir** en coche, porque pillaba cada atasco…

– Ponerse a + infinitivo. Expresa el comienzo de una acción.

> ¿Y Ángela? < **Se ha puesto a trabajar** en una librería.

- **De gerundio**

– Llevar + gerundio. Expresa el tiempo que dura una acción. Siempre debe ir con una expresión de tiempo. Con este sentido solo se usa en presente e imperfecto y en futuro (para expresar probabilidad en el presente → Unidad 16).

Lleva estudiando toda la tarde.

Por fin llegó la carta. **Llevábamos un mes esperándola.**

¿Aún estás aquí? Por lo menos, **llevarás esperando** dos horas.

– Seguir / continuar + gerundio. Expresa que una acción empezada o un hábito no han terminado todavía.

Sigue / continúa trabajando en la misma compañía, ya lleva quince años.

> ¿Ha llegado ya esa carta?

< No, **seguimos esperándola.**

¡ATENCIÓN!

– La forma negativa de llevar / seguir / continuar + gerundio es No llevar / seguir / continuar + gerundio.

> ¿Cómo puedes estar con ese rollo desde las nueve?

> **No llevo cinco horas haciendo** esto, he descansado un poco.

No continúen escribiendo y entreguen el test como lo tengan.

– Para expresar lo contrario a lo expresado con llevar / seguir / continuar / + gerundio se utiliza llevar / seguir / continuar **sin** + infinitivo.

> Pero ¿cómo aguantas? ¿Cuántas horas **llevas sin dormir**?

< No sé, 48 más o menos, y estoy que me caigo de sueño.

Siempre igual, de pequeño no estudiaba y, ahora de mayor, **sigue sin estudiar.**

EJERCICIOS

Practique *cómo se construye*

(2: 48)

1 **Escriba el gerundio y el participio de los siguientes verbos. Después, escuche y compruebe.**

1. leer: ....*leyendo / leído*...........................

2. morir: ....

3. poner: ....

4. reír: ....

5. ser: ....

6. volver: ....

7. poder: ....

8. vestir: ....

9. oír: ....

10. dormir: ....

11. decir: ....

12. hacer: ....

13. construir: ....

14. ver: ....

2 Subraye la respuesta adecuada.

Ej.: *Estoy preocupado, Beatriz sigue contestada / <u>sin contestar</u> / contestar a mis llamadas.*

1. > Héctor todos los días viene *andar / andando / andado.*

   < Sí, lo sé, le hemos visto *al entrar / a entrar / entrado.*

2. > ¿Qué te pasa?

   < Que no puedo *ver / viendo / visto* cuando estoy cansada.

3. > Los nuevos uniformes estarán *terminado / terminada / terminados* el viernes.

   < Bien, así podremos entregarlos el lunes.

4. > Ten cuidado, *comer / comiendo / comido* muchas grasas no es bueno para la salud.

   < Sí, ya lo sé, pero el jamón ibérico solo tiene grasa de la buena.

5. > María se ha *cansado / cansada / cansando* de esperar su llamada.

   < Normal, ¿no te parece?

6. > *Hacer / haciendo / hecho* siempre lo mismo es muy *aburrido / aburriendo / aburrir.*

   < Pues mucha gente vive así y no busca nada más.

7. > La moto estará *arreglada / arreglado / arreglando* la semana que viene.

   < ¡Vaya!, yo la necesito para este fin de semana. ¡Qué rabia!

8. > Son las 7. ¡*A levantarse / Al levantarse / Levantados* todo el mundo!

   < Pero si es muy temprano.

9. > Lleva tres años *ir / iendo / sin ir* a su país.

   < ¿Sí? ¿Tanto tiempo?

10. < Aprendo la gramática *practicar / practicando / practicado* las estructuras y los verbos.

    < ¡Muy bien! Pues ¡*a practicado / a practicar / a practicando*!

3 **Complete con *que, a, de, Ø, sin.***

Ej.: *Llevo más de un mes ....sin..... ir al cine.*

1. > Quiero .... ir a Grecia este verano.

   < ¡Qué bien! Yo voy .... ir a Bolivia.

2. > En cuanto llegó, se puso .... comer y no esperó a nadie.

   < ¿Tanta hambre tenía?

3. > Si quieres arreglar las cosas, debes .... hablar con él.

   < Sí, sí, ya lo sé, pero me cuesta...

4. > Llevas más de medio día .... encender un cigarrillo. ¡Enhorabuena!

   > No lo digas muy alto, estoy deseando .... fumarme uno.

5. > Tienes .... llamar a Juan, te ha llamado ya tres veces.

   > Acabo .... hablar con él.

6. > ¿Sabes que Fran ha empezado .... andar?

   < ¿Ah, sí?

7. > Han pasado varios días y sigo .... entender por qué se enfadó Montse.

   < Pues llámala, habla con ella y lo aclaráis todo.

8. > Me pongo .... darle vueltas a ese asunto pero nunca llego a ninguna conclusión.

   < A lo mejor es que tienes .... pensarlo un poco más.

9. > ¿Vas .... dejar .... trabajar en la universidad? ¿Estás loco?

   < No, no estoy loco, es que no quiero seguir .... viviendo a este ritmo.

10. < ¿Qué le pasa?

    < No sé, pero parece que acaba .... ver un fantasma, ¡qué cara!

4 **Ordene estos elementos y forme una oración.**

Ej.: *Me / casi / muy / , / asustado / sorprendido / miró → Me miró muy sorprendido, casi asustado.*

1. cansado / ha subido / porque / Está / andando / siete pisos

   ....

2. ojos / Tiene / porque / sin / lleva / los / días / tres / dormir / irritados

   ....

3. tener / espalda / de / dolores / Ha dejado / de /

   ....

4. ¿sin / tu / hablar / Sigues / con / hermano?

   ....

5. televisión / haciendo / la / crucigramas / Veo

   ....

Practique cómo se usa

5 Relacione ambas columnas.

1. Tenemos que ponernos
2. Acabo
3. David y Ander continúan
4. Creía que habías dejado
5. Llevo un año
6. Sigue

a. hablando por teléfono. Llevan casi una hora.
b. sin llover.
c. trabajando en esa empresa. Estoy muy a gusto.
d. de terminar. ¡Por fin!
e. de pensar en irte al extranjero.
f. a ordenar los papeles o no encontraremos nada.

6 Complete los diálogos con el verbo adecuado. Algunos se pueden repetir.

> empezar / terminar / acabar / ponerse / dejar / poder / seguir

1. > ......Acabamos...... (nosotros) de terminar de preparar la inauguración.
   < ¡Qué bien! Ahora sí que .... (nosotros) decir: ¡Misión cumplida!

2. > .... de tropezarme con el rector por el pasillo y ¡zas!: se ha caído.
   < ¡Qué horror! ¿No lo habías visto?

3. > Al .... la clase, cuando ya todos nos íbamos, un estudiante
   .... a llorar.
   < ¿Qué le pasaba?

4. > .... de fumar hace 30 años y .... sin hacerlo.
   < Estarás contenta, ¿no?

5 > No .... hablar con ella a solas desde que .... a salir
   con ese chico. Siempre va con él.
   < Pues es una pena.

6 > Nos hicieron un test de autoevaluación al .... el curso.
   < Eso es raro. Normalmente el primer día te evalúan ellos.

7 Transforme estas frases en una construcción con perífrasis. Escuche y compruebe.

Ej.: *He llegado hace un momento.* → *Acabo de llegar.*

1. Hace cuatro años estudiaba alemán y ahora estudio alemán todavía.
   ....

2. Ahora no voy a trabajar en autobús. Antes iba todos los días.
   ....

3. Hay supermercados nuevos en mi barrio, pero yo compro en el mismo.

....

4. Se estaba riendo y de repente lloró.

....

5. Se ha ido hace un momento, después de esperarte casi una hora.

....

8 Complete las oraciones con el infinitivo o el gerundio utilizando las pistas que le proponemos.

lavar y cortar la verdura	pasar todo por la batidora	echar agua, sal, aceite y vinagre
introducir la tarjeta	ver películas en esa lengua	indicar la cantidad de dinero
teclear el número personal	hablar, hacer ejercicios	pulsar *Aceptar*

1. Se aprende una lengua, ... *hablando*, ...

2. Para hacer un gazpacho, ...

3. Para sacar dinero del cajero, ...

9 Complete este texto adecuadamente con los elementos entre paréntesis.

Buenas tardes, (desaparecer) .... *desaparecida:* ....

¡Cuánto tiempo llevo (no saber) .... de ti! Ayer (ponerme, yo) .... a buscar algún mensaje tuyo y... hoy (todavía buscar) .... porque todavía no he encontrado ninguno. He pensado: ¿Cómo puedo recuperar el contacto con ella? (Llamar por teléfono) ...., pero desgraciadamente aquella tarde no me diste tu nuevo número.

¿Estás (enfadar) ....? Al recordar nuestra última conversación, veo a dos personas (encantar) .... de estar juntas. Nos recuerdo (hablar, reír, compartir) .... una tarde inolvidable.

Te escribo (imaginar) .... otro reencuentro. ¿Crees que es imposible? Nos despedimos casi (llorar) ...., por eso espero tener pronto noticias tuyas y que me digas cuándo volveremos a vernos. Siempre hay tiempo para los amigos; podemos charlar un rato (tomar un café) .... ¿Qué me dices?

Un abrazo (ilusionar) ....,

Dominique

10 Clasifique en esta tabla las construcciones del texto anterior en infinitivo, gerundio o participio, según su significado.

MODO	TIEMPO (SIMULTANEIDAD)	ESTADO
	al recordar	

MIS CONCLUSIONES

11 Marque verdadero (V) o falso (F).

a. Podemos encontrar en una frase dos verbos juntos conjugados como *Estoy hablo,* o en *Pueden comen:* ......

b. Las perífrasis pueden formarse con infinitivo, gerundio o participio: ......

c. El gerundio nunca va detrás de una preposición: ......

d. Detrás del verbo *llevar* siempre hay un gerundio: ......

12 Complete.

Cuando hablamos en afirmativo, detrás de los verbos *llevar, seguir* y *continuar* siempre va el .... En negativo también estos verbos van seguidos de ...., pero para expresar la idea contraria llevan la preposición .... y un ....

33

Ella, que es mi amiga, no me haría eso

ORACIONES DE RELATIVO ESPECIFICATIVAS Y EXPLICATIVAS CON *QUE*

¿Vas de boda?

Sí, se casa Ana, que es amiga mía de toda la vida.

¿Qué te vas a poner?

Voy a ponerme **el vestido que llevé** en la boda de mi hermano.

Así se construye

- **QUE en las oraciones de relativo <u>especificativas</u>** (→ Unidad 32, nivel Elemental)
  - Sustantivo + **_que_** + verbo + frase. Sirve para **especificar** o **concretar** el significado de un sustantivo.
    - ○ **Que** es invariable: no concuerda con su antecedente.
    - ○ No va separado por comas del sustantivo al que se refiere, que es su antecedente.
    - ○ El antecedente puede hacer referencia a objetos, lugares, personas, etc.

    *Voy a comprar **el libro <u>que vi</u>** en la biblioteca.*
    ***La chica <u>que te gusta</u>** es mi vecina.*
    ***Las chicas <u>que viven al lado de mi casa</u>** son estudiantes.*

• *QUE* en las oraciones de relativo <u>explicativas</u>

– Sustantivo, + *que* + verbo, + frase.

○ *Que* es invariable: no concuerda con su antecedente.

○ Va separado por comas del sustantivo al que se refiere, que es su antecedente.

○ El antecedente puede hacer referencia a objetos, lugares, personas, etc.

Paco, que es compañero de trabajo, se va de la empresa.

Las notas, que salen el lunes, van a ser muy altas.

Así se usa

• **Oraciones de relativo especificativas**

– Seleccionan entre sustantivos del mismo tipo, especificando cuál.

*Voy a ponerme **el vestido que llevé en la boda de mi hermano*** (no cualquier vestido, digo qué vestido entre los que tengo).

***Las casas que tienen jardín** son muy alegres* (no todas las casas, digo que son alegres solo las casas con jardín).

○ No usamos el relativo *que* detrás de nombres propios ni de pronombres personales, a diferencia de las explicativas.

*Luis que es mi amigo no viene a la fiesta.
*Yo que te conozco bien.

○ No usamos el relativo **que** detrás de un nombre precedido de un posesivo, a diferencia de las explicativas.

*Su casa que está en el campo es muy agradable.

• **Oraciones de relativo explicativas**

– Dan una característica o amplían la información sobre el sustantivo al que hacen referencia.

***Los chicos, que hablan español,** tienen trabajo seguro*
(todos los chicos de los que estoy hablando tienen la característica de hablar español).

Si comparamos las especificativas y las explicativas, vemos que las primeras se refieren a una parte del antecedente. Las segundas, a todo él.

***Los chicos que hablan español** tienen trabajo seguro*
(solo los que hablan español: una parte de los chicos).
***Los chicos, que hablan español,** tienen trabajo seguro* (todos).

– En estas oraciones, **que** puede referirse a nombres propios, a sustantivos precedidos de posesivo o a pronombres personales.

***Ana, que es amiga mía de toda la vida,** se casa.*
***Su casa, que está en el campo,** es muy agradable.*

- **Alternancia modal en oraciones especificativas**

Que + indicativo	Que + subjuntivo
Lo usamos cuando hablamos en general o nos referimos a alguien o algo conocido o mencionado previamente. *Dicen que las personas **que se ríen** mucho viven más años.* *Hay algunos temas del examen **que no he estudiado** todavía.*	Lo usamos cuando nos referimos a alguien o algo desconocido. *Te ayudaré a preparar los temas **que no hayas estudiado** todavía.* *Buscamos a personas **que tengan** iniciativa y ganas de prosperar.*

¡ATENCIÓN!

Las oraciones explicativas se construyen solamente con indicativo porque siempre nos referimos a antecedentes conocidos.

EJERCICIOS

Practique *cómo se construye*

1 Construya frases explicativas o especificativas con elementos de las columnas.

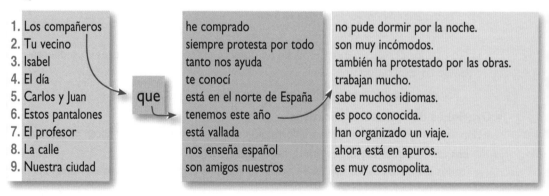

1. Los compañeros	he comprado	no pude dormir por la noche.
2. Tu vecino	siempre protesta por todo	son muy incómodos.
3. Isabel	tanto nos ayuda	también ha protestado por las obras.
4. El día	te conocí	trabajan mucho.
5. Carlos y Juan	está en el norte de España	sabe muchos idiomas.
6. Estos pantalones	tenemos este año	es poco conocida.
7. El profesor	está vallada	han organizado un viaje.
8. La calle	nos enseña español	ahora está en apuros.
9. Nuestra ciudad	son amigos nuestros	es muy cosmopolita.

que

2 Ponga un ✓ en las casillas correspondientes.

Puede llevar un *que* especificativo	Puede llevar un *que* explicativo
Un nombre propio.	Un nombre propio.
Un sustantivo con artículo determinado. ✓	Un sustantivo con artículo determinado.
Un sustantivo con posesivo delante.	Un sustantivo con posesivo delante.

3 Ordene los elementos de las frases.

Ej.: *los ejercicios / que / tenemos que hacer / muy difíciles / son / para mañana.* →
Los ejercicios que tenemos que hacer para mañana son muy difíciles.

1. Me han regalado / que / una tarjeta / música / tiene.

....

2. que / , / no sabe nada, / se va a / Pilar / mucho / disgustar.

....

3. ¿la cartera / me regalaron / mis alumnos / Has visto / que?

....

4. los dulces / No me gustan / que / chocolate / tienen.

....

5. / , / son todos chicos / Mis tres hermanos / , / que / hacen *ballet* clásico.

....

6. Su madre, / no puede subir / está / estas escaleras / , / que / enferma.

....

7. Hemos comprado / que / no sirve / de cocina / para nada / un libro.

....

Practique cómo se usa

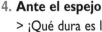

4 Complete los diálogos con una frase especificativa o una explicativa. Después, escuche y compruebe.

(: 51)

1. **En una cafetería con varios amigos**
   > ¿Nos vamos?
   < Vale, ¿me das la chaqueta ....*que está en la silla*............?
   > En la silla no veo ninguna chaqueta... Ah, sí, es esta, perdona.

2. **En una oficina**
   > Tengo problemas con este contrato, no lo entiendo.
   < Pues mi marido .... puede ayudarte.
   > ¿Tu marido es abogado? Entonces claro que me puede ayudar.

3. **En la entrada de una exposición de pintura**
   > Lo siento, solo pueden entrar las personas ....
   < ¿Solo se entra con invitación? Pero en la web de la exposición dice: "entrada libre".

4. **Ante el espejo**
   > ¡Qué dura es la crisis de los cincuenta para una mujer!
   < ¿Qué dices? Yo .... me siento mejor que nunca.
   > ¿Que tú tienes 57 años? Pues pareces mucho más joven.

5. **Poniendo orden**

> ¿Qué estás haciendo?

< Estoy ordenando los libros. Mira, estos son los libros ....

> ¡Uf! ¿Pero guardas los libros que utilizaste en la universidad? Yo los tiré hace mucho tiempo.

5 **Exprese con una oración de relativo especificativa o explicativa estas ideas.**

Ej.: ¿Me puedes dar (un bolso concreto. Está encima de la mesa)? → ¿Me puedes dar el bolso **que está encima de la mesa?**

1. Los vecinos (todos son muy amables) me van a ayudar.

....

2. Sammy (dice que no sabe idiomas) habla inglés, francés y español.

....

3. Vuestro perro (es precioso y me gusta mucho) me da un poco de miedo.

....

4. Las normas (solo las que afectan a la conducción) no se respetan siempre.

....

5. Los hombres (todos somos seres racionales) a veces actuamos como bestias.

....

6 **Ponga las comas (,) donde sean necesarias.**

¡Atención!
Hemos llegado al final del curso. Los alumnos de esta academia que son todos estupendos han obtenido resultados muy positivos en su aprendizaje del español que es una lengua muy bonita pero compleja. Voy a leer los nombres de los alumnos que han ganado los primeros premios este año: Ismail Maaluf que ha ganado el primer premio de "relatos en español". John Richardson que ha obtenido el primer premio al alumno más comunicativo. Hanna Scholl, premio en el concurso "España dentro y fuera". Vamos, Hanna, ¿dónde está Hanna? Sí, la chica que está al fondo, ven a recoger tu premio. Como profesora de lengua española quiero decir que nuestros alumnos que son trabajadores, alegres y también amigos, son la fuerza de esta academia. A todos, muchas gracias.

7 **Indique si se habla de algo conocido o desconocido y complete con indicativo o subjuntivo.**

1. > He estado en una ciudad que (tener) ....*tiene*........ el índice de contaminación más bajo del mundo → .....*Ciudad conocida*............

   < ¿Ah, sí? Pues yo no conozco ninguna que no (tener) .... un aire casi irrespirable → ....

2. > La agenda que me (regalar) .... en la editorial es insuficiente para tanto trabajo → ....

   < La próxima vez pide una que te (permitir) .... aumentar las horas de los días, je, je → ....

3. > Me enviaron un ramo de flores por mi cumpleaños que no (caber) .... en ninguno de los floreros que .... (haber) en casa → ....

   < ¿Es una indirecta? Vale, te compraré uno enorme que (servir) .... para ramos de cien flores por lo menos → ....

4. > ¡Vaya! No tengo ningún estudiante que (hablar) .... coreano. Y necesito a alguien que me (corregir) .... este texto → ....

   < Pues no puedo ayudarte. No conozco a nadie que lo (hablar) .... o que (tener) .... buen nivel → ....

M I S   C O N C L U S I O N E S

8 **Marque verdadero (V) o falso (F).**

No pueden llevar un *que* especificativo...

   a. los sustantivos con artículo indeterminado: ......

   b. los sustantivos precedidos de posesivo: ......

   c. los nombres propios: ......

9 **Señale la respuesta correcta.**

1. Las oraciones especificativas:

   a. Seleccionan uno entre varios sustantivos de la misma clase.

   b. Dan una característica del sustantivo al que se refieren.

2. Las oraciones explicativas:

   a. Van unidas directamente al sustantivo.

   b. Van separadas del sustantivo por comas.

34 Nos vemos donde tú digas
LOS RELATIVOS *QUIEN, COMO* Y *DONDE*

FÍJESE!

(2: 52)

> Pídele ayuda a Reyes, **que** es una experta en el tema.

> Pues **donde** está siempre: en la biblioteca.

> Sí, pero ¿dónde la encuentro?

> **Quien** siembra vientos recoge tempestades.

Así se construye

(→ Unidad 32, nivel Elemental y Unidad 33 de este nivel)

- **Quien / quienes**

  A diferencia del pronombre *que,* que siempre tiene que llevar antecedente, *quien / quienes* pueden ir con o sin antecedente.

  I. Con antecedente

  – Puede ser sujeto de persona en oraciones explicativas. En estos casos alterna con *que.*

  – Nunca puede ser sujeto de oraciones especificativas, pero sí cumplir otras funciones precedido de preposición.

  > *Miguel,* **que / quien** *no vino ayer, no sabe nada de la fiesta. (Que / quien es el sujeto de vino).*

  > (Te vi **con** una mujer). *La mujer* **con quien** *te vi me pareció muy elegante.*

  > (Visité **a** unos amigos). *Los amigos* **a quienes** *visité este verano me llamaron ayer.*

  > PERO NO **Te presento a unos amigos* **quienes** *están en mi casa pasando unos días.*

-220-

2. Sin antecedente

– Puede ser sujeto de persona en oraciones sin antecedente. Equivale a 'la persona / las personas que'. En estos casos no se puede usar *que*.

> **Quien** (= la persona que) *mucho habla mucho se equivoca.*
>
> **Quienes** (= las personas que) *estuvieron allí pueden contártelo.*

• Como

Lo más común es que aparezca sin antecedente. Cuando sí lo lleva, el antecedente es «modo, manera, forma…».

Verbo + *como* + verbo

> *No me riñas. Hago el trabajo* **como** *me han enseñado.*
>
> *Hazlo del modo* **como** *viene indicado en el folleto.*

• Donde

Puede aparecer con antecedente o sin antecedente expreso.

– Con antecedente. Sustantivo / adverbio + (preposición) + *donde* + verbo.

> *Esta es* **la ciudad donde** *vivo.*
>
> *Mira hacia* **allí, donde** *hay una gran torre.*

– Sin antecedente. Verbo + (preposición) + *donde* + verbo.

> *Estoy* **donde** *me dijiste, esperándote todavía.*

– En ambos casos puede llevar preposición delante.

> (Me fui **de** una ciudad). *Esta es* **la ciudad de donde** *me fui hace veinte años.*
>
> (Estoy paseando **por** un lugar). *Estoy paseando* **por donde** *me aconsejaste.*

– Precedido de verbos de movimiento, puede llevar:

> ○ la preposición *a* para indicar destino (ir, volver, regresar);
>
> ○ la preposición *de* para indicar procedencia (volver, venir, regresar);
>
> ○ la preposición *hasta* para indicar el término del movimiento.

¡ATENCIÓN!

Para indicar destino puede llevar o no delante la preposición **a.**

> *Siempre voy donde / a donde quiero ir.*

Se escribe *adonde* o *a donde* tanto si hay antecedente o no.

> *No me gusta nada* **el bar adonde / a donde** *vas.*
>
> *Fue* **a donde / adonde** *le dijeron pero no encontró a nadie.*

Así se usa

- **Quien / quienes**
  - Con antecedente. Se emplea, como *que* para ampliar la información sobre la(s) persona(s) a la(s) que se refiere. Siempre se refiere a una persona, nunca a una cosa.

    Miguel, que / quien no vino ayer, no sabe nada de la fiesta.
  - Sin antecedente: en estos casos no se puede sustituir por *que*.
    - En singular, se usa para generalizar, no se refiere a ninguna persona en particular. Por eso, se usa mucho en los refranes.

      Quien *tiene un amigo tiene un gran tesoro.*
    - En plural, se usa para seleccionar a un grupo de personas dentro de un colectivo.

      Aquel año **quienes no tenían convicciones políticas** *vivían sin problemas.*
  - Seguidos de indicativo, se refieren a personas conocidas o específicas.

    Quienes saben *mucho de gramática son Teresa y Beatriz.*
  - Seguidos de subjuntivo, se refieren a personas desconocidas o no específicas.

    Quienes sepan *mucho de gramática pueden hacer el examen.*

- **Como**

  Sirve para indicar la forma, la manera en que se hace algo. Responde a la pregunta ¿*cómo*?
  - Seguido de indicativo, se refiere a una forma de actuar conocida.

    Trabajamos **como** *siempre* **se ha hecho** *aquí.*

    Lo expliqué **como sé.**
  - Seguido de subjuntivo, se refiere a una forma de actuar desconocida.

    Trabajaremos **como nos digan,** *esperaremos instrucciones.*

    Explícalo de forma espontánea, **como te salga.**

- **Donde**

  Se usa para especificar un lugar introducido por un verbo o indicado por un sustantivo.
  - Sin antecedente, el lugar lo introduce un verbo.

    Te estoy **esperando donde** *me citaste.*

    Voy donde / a donde *me citaste.*
  - Con antecedente, el lugar lo indica un sustantivo o un adverbio de lugar.

    Te estoy esperando en **la plaza donde** *me citaste.*

    Es **allí adonde** *voy.*

    Te esperé **allí, donde** *me citaste.*
  - Seguido de indicativo, se refiere a un lugar conocido, específico.

    Vivo **donde** *siempre he vivido: en el barrio de Embajadores.*

    Si quieres, nos vemos en **la cafetería donde** *trabaja tu hermano.*
  - Seguido de subjuntivo, se refiere a un lugar desconocido, sin concretar.

    Iré **donde** *nadie me* **conozca.**

    Buscamos **una ciudad donde no haya** *contaminación.*

EJERCICIOS

Practique cómo se construye

1 Señale el antecedente, si lo hay, en estas frases.

1. Todavía no hemos encontrado el camino *que* estábamos buscando.

2. Por fin pudimos comprarnos la casa *donde* habíamos vivido de pequeños.

3. Distribuye tu tiempo *como* más te guste.

4. Analizaremos la manera *como* llevar a cabo tu propuesta.

5. *Quien* quiere algo tiene que luchar por conseguirlo.

6. Vivo *donde* quiero y *como* quiero.

2 En algunas de estas frases hay errores. Corríjalos.

1. Le dimos un premio especial a la alumna quien mejor lee: ....*a la alumna* **que**..........

2. A los amigos, que son un tesoro, hay que cuidarlos con mucho cariño: ....

3. Fueron mis abuelos, aunque eran casi analfabetos, quienes me animaron a estudiar: ....

4. Pedro quien tiene problemas con la ortografía va a suspender: ....

5. Mándalo, por favor, a la misma dirección a donde lo mandaste ayer: ....

6. Hablamos con una abogada quien nos lo explicó todo: ....

3 Escriba una preposición cuando sea conveniente. Escuche y compruebe.

(2: 53)

1. > ¿De dónde vienes?
   > Vengo ..*de*.. donde no te imaginas.

2. < ¿Con quién quieres hacer ese viaje?
   > Me da igual, ... quien también quiera ir a Nepal.

3. < ¿Dónde vives?
   > Vivo .... donde siempre.

4. < ¿A quiénes vas a invitar a tu fiesta de cumpleaños?
   > Pues voy a invitar .... quienes ya estuvieron en mi cumpleaños el año pasado.

5. < ¿De dónde se bajó Carmen?
   > Se bajó .... donde se había subido para ver mejor.

6. < ¿De quién estáis hablando?
   > .... quien tú ya sabes, ... quien te volvió loquito el corazón el último verano.

7. < ¿Hasta dónde vas a llegar con esta lucha?
   > Llegaré .... donde sea necesario.

4 Complete con *que* o *quien*.

1. Los amigos .....*que*...... vienen mañana son tremendamente aburridos.

2. .... pregunta lo que no debe oye lo que no quiere.

3. Tus padres, ... son muy amables, me han invitado a cenar con ellos.

-223-

4. No confío en las personas .... hablan demasiado de los demás.

5. .... te quiere te ayuda también en los momentos difíciles.

6. Esos jóvenes .... ves ahí se meten con todo el mundo.

7. La gente hizo su trabajo bastante bien. .... tenían más experiencia lo hicieron mejor, claro.

Practique cómo se usa

5 **Haga las combinaciones posibles relacionando con flechas y ordene la historia de forma lógica.**

Pusimos una música		habían mantenido el contacto con todos los amigos,	con una fiesta.
Queríamos festejar nuestro encuentro	**como**		nos llamaron y nos reunieron.
El pobre David salió del problema	**donde**	nos gustaba a todos, había bastante sitio,	es decir, en casa de David.
Pepe y Marina,		siempre habíamos hecho:	pero a todo volumen.
Los vecinos de David,	**que**		vinieron a protestar.
Celebramos la fiesta		son muy mayores, pudo:	invitando a los vecinos a quedarse.

6 **Complete el enunciado, según sea especificativo o explicativo, con el relativo adecuado.**

1. Felipe tiene un solo hermano, es profesor de filosofía.
   > ¿A quién podemos pedir ayuda? Nadie puede entender este artículo.
   < Pues podemos pedirle ayuda al hermano de Felipe, _que es profesor de filosofía_ .... y sabe mucho sobre Kant.

2. Usted va frecuentemente al cine a ver películas españolas. La última no le gustó nada.
   > ¿Vamos al cine este sábado? ¿Qué tal una película española?
   < Bueno, pero yo prefiero una americana, la última española ....

3. Ricardo tiene una novia cantante de ópera. Tiene el pelo pelirrojo y largo.
   > El tenor es bueno, pero el coro es mejor.
   < ¡Ah! Pues la chica .... es la novia de Ricardo. Canta como los ángeles.

4. Sus compañeros hablan mal de usted. Pero no lo conocen.
   > ¿No te molesta que esa gente hable mal de ti?
   < No me preocupa, ... no me conocen.

5. Usted se va de la empresa donde está. Sus jefes no aceptan ideas innovadoras porque son muy conservadores.

> Pero, mujer, ¿por qué no lo piensas mejor? Es una decisión muy arriesgada.

< Lo siento, está decidido: no quiero seguir trabajando aquí .... ideas innovadoras.

7 **Transforme el infinitivo usando indicativo o subjuntivo. Escuche y compruebe.**

(2: 54)

1. > ¿Cómo preparo la pasta? ¿Con tomate?

< Hazla como (preferir) .... *prefieras* ...., a mí me gusta de cualquier forma.

2. > ¿Dónde compro el vino?

< Donde (querer) ...., aquí cuesta igual en todas partes.

3. > ¿Pero de dónde vienes así?

< Vengo del río donde (caerse) ayer .... las llaves del coche.

4. > ¿Cómo has hecho esta tarta? Está buenísima.

< Pues la he hecho como (enseñarme) .... mi abuela hace muchos años.

5. > ¿Necesitas ayuda con ese grupo? Puedo echarte una mano si quieres.

< No te preocupes, arreglaré ese problema como (poder) ....

6. > ¿Por qué te molestan tanto el ruido y el tráfico?

< Porque la ciudad donde (vivir) .... es pequeña y tranquila.

M I S   C O N C L U S I O N E S

8 **Elija la respuesta correcta.**

a. *Que* y *quien* pueden ser sujetos de oraciones explicativas y especificativas.

b. *Que* y *quien* pueden ser sujetos de oraciones explicativas.

c. *Que* y *quien* son invariables.

d. *Como* y *donde* necesitan siempre antecedente.

e. *Donde* puede funcionar sin antecedente.

f. *Como* relativo expresa una comparación.

9 **Complete de forma adecuada.**

Quien se refiere siempre a .... *Como* se construye con indicativo si indica una forma de actuar .... pero va seguido de .... cuando nos referimos a una manera de actuar no conocida.

1. > ¿Qué día .... la cena?
< El próximo16 de febrero.
   a. está   **b.** es   **c.** fue

2. > ¿No vas a probar esto?
< Sí, ya he comido ....
   a. poco   **b.** un poco   **c.** un algo

3. > No sé dónde he dejado mi vaso, ¿cuál es ....?
< Este.
   a. tu   **b.** tuyo   **c.** el tuyo

4. > El examen será el .... día de clase.
< ¡Otro examen!
   a. uno   **b.** primero   **c.** primer

5. > ¡Pero qué cabezota es!
< Sí, Lali es .... cabezota .... la familia.
   a. la más ... de   **b.** la menos ... de   **c.** la más ... que

6. > Ayer vi a tus hijos en la calle y les di su regalo.
< ¿Ayer? ¿... ... diste en la calle de verdad? No me han dicho nada.
   a. les ... lo   **b.** se ... los   **c.** se ... lo

7. > Los niños españoles .... muy tarde.
< Sí, es verdad, pero el colegio empieza más tarde que en otros países.
   a. acuestan   **b.** se acuestan   **c.** les acuestan

8. > ¿Habla usted ruso?
< Sí,............ bien, la verdad.
   a. bastantes   **b.** mucho   **c.** bastante

9. > Me ha dicho Victoria que va .... porque no sabe ir al centro.
< Sí, sí, no te preocupes, yo la acompaño.
   a. con te   **b.** con ti   **c.** contigo

10. > ¿............ (vosotros) hacer los ejercicios de ayer?
< Sí, ¿por qué?
   a. sabéis   **b.** supisteis   **c.** supiste

11. > A mis padres les ...... mucho el viaje que .... en primavera.
> No me extraña. ¡Qué viaje tan interesante!
   a. gustaron - hicieron   **b.** gustó - hicieron   **c.** gusta - hizo

12. > ¿Cuántos años .... en 1978?
< 14, 14 años.
   a. tienes   **b.** tenías   **c.** tuviste

13. > Parece mentira, estamos en enero, pero ¡qué calor .... hoy!
< Sí, es el cambio climático.
   a. hago   **b.** ha hecho   **c.** haga

14. > Rosana y Lars no pudieron ir al teatro, porque se .... las entradas.
< ¡Qué rabia! ¡Con lo que les gusta el teatro!
   a. habían agotado   **b.** agotaban   **c.** había agotado

15. > Han dicho que dentro de dos horas .... los resultados de las elecciones.

    < ¿Tan pronto?

    a. darán   b. dieron   c. han dado

16. > ¿Apago el ordenador?

    < No, por favor, no ...., tengo que imprimir aún el trabajo.

    a. lo apagues   b. lo apagas   c. apágalo

17. > ¿Todavía sales a cenar un día al mes con los amigos de la universidad?

    < Sí, desde hace 10 años, pero ya no salimos los viernes .... los jueves.

    a. pero   b. sino   c. si no

18. > ¡Ah! ¿Este es el libro que estás leyendo en clase? ¿Te gusta?

    < Ahora sí, pero cuando lo …..………... no me gustaba nada,

    a. empecé   b. empiece   c. empezaría

19. > Espero que te guste, pero si no ……………..., lo puedes cambiar.

    > Sí, sí me encanta, es precioso.

    a. te guste   b. te gusta   c. le gusta

20. > ¿No vas a salir este fin de semana?

    < No, es que tengo examen el lunes, ………… voy a estudiar.

    a. porque   b. así que   c. como

21. > ¡Ojalá le .... la beca a Juan! Tiene muchas ganas de ir a estudiar a otro país.

    < A ver si tiene suerte.

    a. dan   b. darán   c. den

22. > ¿Es posible que todavía ………..... al fútbol todos los domingos?

    < Sí, sí, seguimos jugando todos los domingos, claro que es posible.

    a. juguéis   b. jugáis   c. seguís jugando

23. > ¡Qué raro que no ……………… todavía! ¡Son muy puntuales!

    < A lo mejor …………… en un atasco.

    a. hayan llegado - están   b. han llegado - están   c. hayan llegado - estén

24. > ¿Cuándo me tendrán arreglado el coche?

    < La semana que viene, cuando lo ………. listo, le llamaremos.

    a. tengamos   b. tiene   c. tendrán

25. > Últimamente como fatal, no me da tiempo a preparar nada.

    < Pues te aconsejo que …………. para comer y que …………. después, aunque sea un poco.

    a. pares - descanses   b. paras - descansas   c. pare - descanse

26. > ¿Hablaste ayer con Merche y Carmelo? ¿Cómo estaba la niña?

    < Sí, hablé con ellos por la noche y me dijeron que ………. la fiebre.

    a. seguía subiéndole   b. ha seguido   c. siguió subiéndole

SOLUCIONES

UNIDAD 1

1. 1. El pez, el sapo, el hipopótamo, el elefante; 2. *La araña,* la hormiga, la ballena, la rana; 3. El perro / la perra, el gato / la gata, el mono / la mona, el león / la leona; 4. El reloj, el libro, la mesa, la silla, el vestido.

2. *El / la* estudiante; el cocodrilo; la foca; el / la cantante; la mosca; la tortuga; el gorila; el / la periodista; el / la cólera; la víctima.

3. 1. Facciones → sí varía. 2. Sillas → silla: sí varía. 3. Sed → no varía. 4. Ley → leyes: sí varía. 5. Caos → no varía. 6. Flores → flor: sí varía. 7. Pánico → no varía. 8. Faldas → falda: sí varía. 9. Oeste → no varía. 10. Salud → no varía. 11. Ojeras → no varía. 12. Convoyes → convoy: sí varía.

4. **Fruto:** naranja, avellana, ciruela, cereza. **Árbol:** ciruelo, cerezo, naranjo, avellano.

5. 1. *El sacapuntas.* 2. El lavavajillas. 3. Víveres. 4. Medias. 5. Pantalón / pantalones. 6. Pánico. 7. Testigo. 8. La frente. 9. Sacacorchos. 10. El cubo - el manzano. 11. El cocodrilo.

6. a. falso. b. falso. c. falso.

7. A veces, el género diferencia entre árbol y fruto, el árbol va en **masculino** y el fruto o la flor en **femenino.** A veces, los nombres de los animales van siempre en masculino o femenino, por ejemplo, decimos **la** araña, y puede ser macho o **hembra** pero siempre va en género **femenino.**

UNIDAD 2

1. 2. el. 3. las. 4. los. 5. las. 6. el. 7. el. 8. las. 9. el. 10. el.

2. 2. el. 3. al. 4. un. 5. un. 6. el – el / Ø. 7. una. 8. unos. 9. las. 10. un.

3. 1. el otro profesor. 2. todo el mundo. 3. toda una historia. 4. una cierta sonrisa. 5. los tres mosqueteros. 6. los chicos esos. 7. una opinión suya.

4. 1. el. 2. el. 3. lo. 4. el – el. 5. lo – el. 6. lo.

5. 1. una. 2. un – el. 3. un. 4. el. 5. un. 6. al – los. 7. el.

6. 1. 1-b, 2-a. 2. 1-b, 2-a. 3. 1-b, 2-a. 4. 1-a, 2-b. 5. 1-b, 2-a.

7. a-3; b-1.

8. 1. *las*; un / al; al; las – la – un. 2. un / Ø – un / Ø; un / Ø – el. 3. la; el. 4. una; la. 5. un – una; un – el / un – la / una; el.

9. 1. lo triste. 2. lo inútil. 3. lo barato. 4. lo moderno. 5. lo raro.

10. 1. un tacaño. 2. un pesado. 3. un presumido. 4. una egoísta. 5. unos insociables. 6. un intolerante.

11. a. falso. b. falso. c. verdadero. d. verdadero.

12. 1. el otro chico. 2. un amigo mío. 3. otro chico. 4. las tres gracias.

UNIDAD 3

1. **ES**: 1., 2., 3. (referido a un color), 5., 6., 7., 8., 9. y 10. **ESTÁ**: 1., 2., 3., 4., 6. (referido al carácter) y 8.

2. 1. es. 2. es. 3. está. 4. soy. 5. estamos a / es – estamos a / es. 6. está a. 7. es.

3. b - 2, c - 1, d - 6, e - 4, f - 2 y 5.

4. 1. ¿A cuántos estamos? 2. ¿A cuánto está el pollo? 3. ¡Es (muy) pronto/ temprano! 4. ¿Eres / Es (usted) cantante? 5. Es un fastidio venir el sábado (por la mañana) / tener que venir el sábado.

5. 1. (Hoy) es 12 de febrero / (hoy) estamos a 12 de febrero. 2. (Sí), es la una de la mañana, (ya) es muy tarde. 3. (No), fuera estamos solo a 1 grado. 4. (Pienso) (que) es muy raro. 5. No estoy serio, lo que estoy es enfadado.

6. 1. está mal. 2. es normal. 3. es peligroso. 4. está claro. 5. es extraño.

7. 1. Lo que es es antipático. 2. Lo que estoy es agotado. 3. Lo que son es inexpertos. 4. Lo que está es preocupada. 5. Lo que estoy es emocionadísimo.

8. 1. No. 2. Sí. 3. No.

9. **Opciones equivocadas**

1. Estar. 2. Estamos de. 3. Esto. 4. Estar solo.

UNIDAD 4

1. 1. Algún árbol; 2. Cada mañana / posibilidad; 3. Varias personas; 4. Todos estos zapatos; 5. Algunos ordenadores; 6. Alguna mañana / posibilidad; 7. Ningún árbol / amigo.

2. 1. nadie; 2. todas, algunas; 3. cada; 4. ningún; 5. otras; 6. algo; 7. un poco.

3. 1. No llama nadie; 2. No me ha dicho nada ningún estudiante; 3. Nadie me lo ha dicho; 4. No me sale bien nada; 5. Ninguna excusa me vale.

4. 1. algunas / todas las / unas; 2. algún / otro - varios; 3. otra / ninguna; 4. algunos / varios; 5. algún / otro.

5. 1. algún - ninguno; 2. otro; 3. algún - varios / algunos - ninguno; 4. varios / algunos; 5. algunos / varios; 6. ningún; 7. otra; 8. algunas / varias; 9. otra; 10. cada; 11. cada.

6. 1. varias personas / varios amigos; 2. varios / algunos / todos los; 3. todo; 4. algunos / varios; 5. todos.

7. 1. nadie; 2. nada; 3. nadie; 4 algo; 5. alguien.

8. **Posibles respuestas**

2. Cada mañana desayuno café con tostada. 3. Ahí fuera hay varias personas esperando. 4. Todos estos zapatos me están pequeños; 5. Tenemos algunos ordenadores muy rebajados; 6. ¿Hay alguna posibilidad de que se cure? 7. Este alcalde no ha plantado ningún árbol.

9. 1. un poco / algo. 2. poco. 3. poco. 4. algo / un poco. 5. un poco. 6. poco.

10. a. falso; b. verdadero; c. verdadero; d. falso.

11. 1. nadie; 2. ninguna; 3. algunos.

UNIDAD 5

1. 1. Míos. 2. Suyo. 3. Vuestras. 4. Nuestro. 5. Tuya. 6. Nuestras. 7. Suyas.

2. 1. Tres amigas mías. 2. Un conocido nuestro. 3. Algunas propuestas suyas. 4. Ciertas ideas tuyas. 5. Varios mensajes vuestros. 6. Dos representantes suyos.

3. 1. Un hermano mío que vive en Túnez. 2. Algunos profesores nuestros del colegio. 3. Tres artículos tuyos de filosofía. 4. Unas vecinas suyas alemanas. / Unas alemanas vecinas suyas. 5. Un novio mío de cuando yo era joven. 6. Una tía suya extranjera.

4. 1. Una compañera mía francesa. 2. Un profesor mío muy duro / bastante duro / durísimo. 3. Una amiga tuya rubia. 4. Dos empleados míos muy trabajadores / bastante trabajadores. 5. Una hermana suya muy elegante / bastante elegante / elegantísima. 6. Tres sobrinos vuestros muy graciosos / bastante graciosos / graciosísimos.

5. 1. Me duele la cabeza. 2. Se ha quemado la mano con un motor. 3. Me molesta el estómago. 4. Me hago la comida en casa. 5. Se ha cortado el pelo.

6. 1. Un amigo mío. 2. Mi hermano Enrique. 3. Una amiga nuestra española. 4. Tu madre. 5. Una compañera tuya del trabajo.

7. Una conocida mía. Una amiga mía muy simpática. Mi amiga. Otra amiga mía arquitecta. Algunas preguntas tuyas.

8. 1. a. 2. b. 3. a.

9. 1. b. 2. Ambas son correctas; se suele usar esa frase para indicar que otro nos los ha cortado.

UNIDAD 6

1. 1. la alta; 2. los pesados; 3. el / la verde; 4. el rubio; 5. la larga; 6. los anchos.

2. 1. Los nuevos no han llegado todavía; 2. La más luminosa es esta; 3. Los grandes me dan miedo; 4. Han robado el falso; 5. Hay que guardar la nueva; 6. Prefiero los negros; 7. Utiliza el blanco.

3. 1. lo interesante; 2. lo sencillo; 3. lo fácil; 4. lo complicado; 5. lo preocupante; 6. lo natural.

4. 1. Las pequeñas cosas pueden cambiar el mundo; 2. Un mal amigo es peor que un buen enemigo; 3. Tengo una importante noticia para ti; 4. Tiene una gran ilusión en ese viaje; 5. He hecho un mal examen de lengua escrita; 6. Es una interesante propuesta.

5. 1. La italiana; 2. Prefiero alguno largo y fácil. 3. Los verdes / esos verdes; 4. Los viejos; 5. El moreno; 6. La pelirroja.

6. 1. lo; 2. el; 3. la - lo; 4. lo; 5. el; 6. los.

7. 1. gran; 2. buen; 3. buena; 4. buena; 5. malos; 6. grandes.

8. a. falso; b. verdadero; c. falso (solo si se refieren a un nombre masculino singular).

UNIDAD 7

1. 1. pequeño. 2. amable. 3. buenas. 4. simpática. 5. inteligente. 6. joven. 7. viejo. 8. lejos. 9. divertido. 10. grandes.

2. 1. riquísimo. 2. malísimo. 3. guapísima. 4. carísimo. 5. prontísimo. 6. grandísimo/a. 7. altísimas. 8. tardísimo. 9. baratísima. 10. blanquísimo.

3. 2. dificilísimo. 3. mejor. 4. cultísima. 5. amabilísimos.

4. 1 – c; 2 – a; 3 – e; 4 – b; 5 – d.

5. 2. más caluroso del año. 3. más rico del mundo. 4. más agradables - más ruidosos del edificio.

6. 2. menores. 3. pobladísima. 4. mayor. 5. peor.

7. 2 a; 3 c; 4 e; 5 d.

8. a. falso. b. falso. c. verdadero. d. falso.

UNIDAD 8

1. 1. La tenemos que terminar / Tenemos que terminarla. 2. Necesitan ablandarlos más. 3. Olvidó cerrarla. 4. Conviene hablarlo cuanto antes. 5. Sentimos contárselo. 6. Nos prometió hacerlos. 7. Voy a limpiarla / La voy a limpiar. 8. No me quiero marchar / No quiero marcharme. 9. Hay que llamarla. 10. Todavía no hemos empezado a corregirlos / Todavía no los hemos empezado a corregir.

2. 1. Ø. 2. las. 3. lo. 4. Ø. 5. lo. 6. Ø. 7. las. 8. Ø. 9. la. 10. Ø.

3. 1. Ambas son correctas. 2. b. 3. Ambas son correctas (más usual la segunda). 4. Ambas son correctas. 5. a. 6. Ambas son correctas.

4. 1. se. 2. se. 3. se. 4. lo. 5. pregúntaselo. 6. los. 7. ponlos. 8. lo. 9. lo.

5. 1. *le* – levantarse – se. 2. le – le. 3. le – se. 4. le – le – se. 5. le.

6. 2. a los policías. 3. el rotulador. 4. los pantalones. 5. a mis alumnas. 6. al niño. 7. a Julián. 8. el arte del siglo XIII. 9. a Ana. 10. el correo electrónico.

7. 1. La cama hacedla antes de salir de casa. 2. La habitación ordenadla después de hacer la cama. 3. La lavadora ponedla antes de limpiar el polvo. 4. La ropa tendedla y estiradla bien. 5. La comida preparadla entre todos.

8. 1. lo. 2. Los discos los quiero yo. 3. Se los he dado a Pedro esta mañana. 4. póntelo. 5. Me los regaló mi hermana. 6. Se lo he dicho a todo el mundo. 7. Sí, me llamó Alejandra y me lo dijo.

9. a. falso (no siempre, solo cuando el OD está especificado). b. verdadero. c. falso (porque van siempre detrás del infinitivo si el primer verbo no forma parte de una perífrasis, no es un verbo auxiliar ni un verbo modal). d. verdadero.

10. 1. ¿Te apetece probarlo? 2. ¿Quieres probártelo? / ¿Te lo quieres probar? 3. Intenté hacerlo. / Lo intenté hacer. 4. Conviene pensarlo. 5. Siento decirlo.

UNIDAD 9

1. 1. Los hermanos se cortan el pelo el uno al otro. 2. En este restaurante se hacen unas patatas bravas muy buenas. 3. Mis amigos se llaman por teléfono todos los días. 4. Entre la gente se habla mucho de esos escándalos. 5. En el Gobierno se están estudiando las soluciones. 6. El uno y el otro se pelean todo el día.

2. 1. se lo. 2. se las. 3. se los. 4. se lo. 5. pregúntaselo. 6. se los.

3. a - 2. b - 1 / 6. c - 4. d - 3. e - 5. f - 1 / 6.

4. OI: 4. Recíproco: 2, 3. De impersonalidad o generalización: 1, 5, 6.

5. 1. Hay lugares donde se compra ropa usada. 2. Se hacen preguntas el uno al otro. 3. Se necesitan gafas de sol, esquís, guantes y ropa de abrigo. 4. Se buscan actrices, no cantantes. 5. Se lo he prestado / presté a Julia para una fiesta. 6. Se dice que va a cambiar / cambiará muchas cosas.

6. 1. En este restaurante se prepara un cebiche peruano buenísimo. 2. El día de la conferencia se abrirán las puertas a las diez en punto y se cerrarán a las once. 3. Se alquila una habitación por 300 euros al mes. 4. ¿Por qué cada vez que se hace un trabajo en grupo se discute durante horas y no se exponen las ideas de forma ordenada? 5. Para entrar en este club, se necesitan el carné y una autorización. 6. He oído lo que Sara dice de mí: últimamente, se dicen muchas tonterías sobre mi pasado.

7. a. verdadero. b. falso. c. verdadero.

8. 1. no / no. 2. Ø. 3. Ø.

UNIDAD 10

1. Tiempo: anoche, mientras, ya. Lugar: arriba, alrededor de. Modo: así, estupendamente, fácilmente, naturalmente. Cantidad: poco, nada. Afirmación: bueno, claro, naturalmente, por supuesto. Negación: jamás, para nada, tampoco.

2. 1. Yo nunca dije algo así. 2. Ella jamás actuaba de esa manera. 3. Ayer María se tropezó y casi se cae. 4. Juan también piensa así. / Juan piensa también así. / Juan piensa así también. 5. Vos nunca jamás me mentiste. 6. No quedó nada de comida.

3. 1. maravillosamente. 2. estupendamente. 3. horrorosamente. 4. francamente. 5. naturalmente. 6. normalmente.

4. 1. dentro. 2. En absoluto. 3. Ya. 4. solo. 5. después de. 6. casi. 7. excepto. 8. además. 9. solamente. 10. sobre todo / además.

5. **Posibles respuestas**

1. Primero me ducho, después / luego me visto y luego / después salgo de casa.

2. Primero me quito el abrigo, después / luego enciendo el ordenador y luego / después miro el correo electrónico.

3. Primero me quito la ropa, luego / después me doy crema y después / luego me tumbo al sol.

6. 1. Yo tampoco. 2. Sí, claro / naturalmente / por supuesto. 3. No, nunca / jamás. Soy vegetariana. 4. Sí, yo también. 5. Para nada.

7. 1. *Los niños arriba.* Los mayores abajo. Los jóvenes fuera.

   2. Los niños fuera. Los mayores dentro. Los jóvenes fuera o dentro. / Los jóvenes dentro o fuera.

   • arriba; abajo; fuera; dentro de; fuera; alrededor de; dentro; alrededor de.

8. a. verdadero. b. verdadero. c. falso. d. falso. e. verdadero.

9. 1. detrás; 2. afirmación; 3. excepto.

UNIDAD 11

1. a – a. 2. con – en – con. 3. a – a – a. 4. Ø – Ø. 5. a – por. 6. por. 7. en. 8. por. 9. con. 10. de. 11. a.

2. **Posibles respuestas**

   En los bares siempre pide él las consumiciones al camarero; Lo fines de semana Sole se encarga del jardín; Siempre viaja al pueblo en tren; Vuelvo del trabajo a las ocho.

3. 1. a; 2. en / sobre; 3. con – sin; 4. a – de – a – de; 5. entre; 6. desde / del – hasta / al; 7. entre; 8. de – de; 9. de – hasta; 10. a.

4. 1. d; 2. e; 3. a; 4. b; 5. c.

5. 1. a; 2. b; 3. b; 4. a; 5. a; 6. a

6. **Posibles respuestas**

   1. Es una camisa de lino; 3. La maleta está debajo de la cama; 4. Rita toma siempre la tortilla sin cebolla, no le gusta; 5. La cervecería Cervantes está enfrente de una iglesia; 6. Estaré en casa hasta las cinco; 7. En el cine me senté entre los dos niños; 8. Me encanta el pan con tomate; 9. Los libros están sobre la mesa; 10. Escribo siempre en folios blancos; 11. La biblioteca está junto al museo.

7. 1. para; 2. por; 3. para; 4. para – por. 5. por; 6. por; 7. por – por; 8. para; 9. por; 10. por – por – por – por – para.

8. a. verdadero; b. falso; c. verdadero.

9. a. desde – hasta; b. a – Ø. c. por – para.

UNIDAD 12

1. *Decir:* contradecir, predecir. *Traer:* contraer, extraer. *Saber:* caber. *Conducir:* reducir, introducir. *Huir:* construir, destruir.

2. 2. Él / ella / usted; **y**. 3. Nosotros /-as; **j**. 4. Vosotros /-as; **j**. 5. Tú; **j**. 6. Yo; **p**.

3. 1. se levantó. 4. se dio – se puso. 3. salió. 5. esperó. 7. tomó. 6. llegó – acudió. 2. respondió – le dieron.

4. 1., 2., 4. y 6. Los hechos ocurrieron en ese momento. No son anteriores. 3. La información es anterior al momento de intentar dar la sorpresa. 5. El deseo de evitar malos entendidos es anterior al momento en que se dan las razones.

5. 1. compré. 2. me despertaba – estaba. 3. propuse – aceptó. 4. contrajo. 5. se ponía. 6. te llamé.

6. a-1, vi; b-3, hablé; c-6; d-4, supe; e-2, desperté; f-5.

7. 1. y 4. No se marca el final de la acción, por tanto podemos esperar un cambio. 2., 3. y 5. Información completa. Se marca el final de la acción.

8. 1. *pudimos* – supimos. Os extrañé. 2. sabíamos (información anterior) / supimos (nos enteramos). Os enterasteis. 3. me propusieron – me di cuenta – tenía. Hiciste. 4. era – me daba cuenta. Notó. 5. salió. Vino – se quedó. Sentimos. 6. Nos enteramos – conocía – contó. Llegó.

   Los diálogos se relacionan así: 1. 5; 2. 6; 3. 4.

9. **b. 2.** El otro día te vi cuando te marchabas, pero tu coche arrancó y no pude despedirme. **No me dio tiempo. c. 1.** ¡¡Cómo dices?! Yo no te dejé plantado. **Te esperé** desde las 6 hasta las 7 y media…, ¿te parece poco tiempo? ¡Claro que luego me fui!

10. pasado – narra – sucedidas en un momento concreto – Sí.

11. a. falso; b. falso; c. verdadero; d. verdadero; e. verdadero.

UNIDAD 13

1. Acción en desarrollo: 2, 5, 6, 9, 12, 14.

   Acción que interrumpe: 1, 3, 4, 7, 8, 10, 11, 13.

2. 2. Hablabas. 3. Éramos. 4. Volabais. 5. Opinabas. 6. Podíamos.

3. 2. Estaba durmiendo / leía; despertó / asustó. 3. Vi / saludé / llamé; volvía / salía. 4. Cantaba / tocaba / ejercitaba; perdió. 5. Apareció / vio; cocinaba / lavaba los platos. 6. Tenía; robó / quitó.

4. 1. El profesor nos dijo ayer que de momento no íbamos a hacer el examen porque él tenía que irse fuera de España unos días. 2. Dije (la semana pasada) que podía hacer la primera parte del trabajo pero (que) no me daba tiempo a hacer la segunda yo solo /-a. 3. (Hace tres meses) dijiste que teníamos que vernos pero que me llamabas tú porque tenías un horario muy raro. 4. (El martes pasado) dijo que se iba a la casa de la playa, (que) necesitaba descansar todo el mes.

5. 1. ¿Qué **quería**? / **Quería** saber los lugares de interés que hay en Tenerife. Ah, también **necesitaba** una lista de los hoteles y un plano. 2. Perdón, **tenía** que preguntarle unas dudas. 3. Muy bien, ¿**deseaba** algo más, señor? / No, gracias. Ah, perdone, el entrecot lo **quería** poco hecho. 4. Hola, buenas tardes, ¿qué **quería**? / Verá, **quería** una habitación individual y tranquila. ¿Tienen alguna libre? / Sí, tenemos precisamente una libre. ¿La **quería** con vistas a la calle o al patio interior?

6. 2. Entró el secuestrador mientras el padre y la madre **estaban durmiendo**. 3. Yo no **sospechaba lo que ocurría / sabía la realidad** hasta que la vi en aquel bar. 4. Todos **estábamos tranquilos**, pero de pronto la historia que contó Marga nos asustó. 5. Gloria **contemplaba** el maravilloso cielo azul... 6. Yo **estaba muy deprimida**...

7. 1. Volvía a casa: acción en desarrollo. 2. Me iba de vacaciones: intención no realizada. 3. Gloria iba a probar el postre: intención no realizada. 4. Iba a pedir la hipoteca: intención no realizada. 5. Mila iba a echarse la siesta: intención no realizada. 6. Hablaba por teléfono con mi hermano: acción en desarrollo.

8. 1 b. 2 c.

UNIDAD 14

1. Poner: puesto, repuesto, compuesto. Decir: dicho, contradicho. Hacer: hecho, deshecho, rehecho. Ver: visto, previsto. Volver: vuelto, devuelto. Escribir: escrito, descrito.

2. 1. Han abierto. 2. Hemos roto. 3. Has salido. 4. Habéis venido. 5. He sido. 6. Ha estado.

3. 1. ¿Ya has puesto / Has puesto ya la ensalada en la mesa? 2. El escritor ha descrito perfectamente el paisaje de su pueblo... / el paisaje de su pueblo perfectamente. 3. Hoy las hemos visto / Las hemos visto hoy en la mesa del salón justo. 4. No habéis devuelto todavía / Todavía no habéis devuelto los libros a la biblioteca. 5. Finalmente la ha compuesto / La ha compuesto finalmente. 6. Nunca he ido a Córdoba. No he ido nunca a Córdoba.

4. 2. Este curso. 3. Estalló. 4. Este año. 5. Hubo. 6. Hoy. 7. Hemos ido.

   A: 1 – 2 – 4 – 6   **B:** 3 – 5

5. 2. tuve. 3. he sido. 4. ha tenido. 5. os hemos protestado. 6. hemos trabajado. 7. discutió.

   A. 2 – 7   B. 3 – 6   C. 5   D. 1 – 4

6. dijo / contó – ha pasado – tuvo – se ha recuperado – me ha dicho.

7. 1. No se puede cambiar por el pretérito perfecto. 2. Sí, se puede: Ha tenido. 3. No se puede.

8. 1. no hace ni cinco minutos que se ha ido. 2. Si no hace ni una hora que hemos hablado con él. 3. Si yo mismo se lo dije por lo menos hace una semana.

9. a. verdadero. b. falso. c. verdadero. d. verdadero.

10. 1. indefinido. 2. ni. 3. perfecto.

UNIDAD 15

1.

Aprender	Decir	Volver	Trabajar	Ver
Había aprendido	Había dicho	Había vuelto	Había trabajado	Había visto
Habías aprendido	Habías dicho	Habías vuelto	Habías trabajado	Habías visto
Había aprendido	Había dicho	Había vuelto	Había trabajado	Había visto
Habíamos aprendido	Habíamos dicho	Habíamos vuelto	Habíamos trabajado	Habíamos visto
Habíais aprendido	Habíais dicho	Habíais vuelto	Habíais trabajado	Habíais visto
Habían aprendido	Habían dicho	Habían vuelto	Habían trabajado	Habían visto

2. 1. Habíamos dicho; 2. Había puesto; 3. Habían hecho; 4. Habías visto; 5. Habíais descubierto; 6. Había escrito.

3. a 4. b 2. d 3. e 6. f 5.

4. 1. Claro, porque tú me habías hablado muy mal; 2. Pues yo ya lo había olvidado; 3. Porque yo no había hecho nada malo; 4. Porque cinco minutos antes él me había pedido ayuda; 5. Pues sí, porque había tenido una discusión tremenda con Laura; 6. Te avisé. Antes de salir con Luis, te había dejado un mensaje en el contestador de tu oficina.

5. B. 1.° Te habías olvidado las llaves en casa. 2.° Me habías llamado. 3.° No había cerrado la puerta con llave.

   C. 1.° Alguien había dejado un ramo de rosas en la puerta. 2.° Oí un ruido. 3.° Pensé: "Es él, ya está aquí, qué bien". 4.° Bajé las escaleras precipitadamente y abrí la puerta.

   D. 1.° No sospeché nada. 2.° Te busqué por todas las habitaciones. 3.° Habían llamado a la puerta. 4.° Salí a la calle.

6. 2. Había llevado; 3. Había dado / dio; 4. Había hecho / hice; 5. Habían regalado / regalaron; 6. Habían pasado; 7. Miré; 8. Bajé; 9. Me fui; 10. Había bebido / bebí; 11. Había cerrado / cerré.

7. 1. anterior; 2. pasada; 3. imperfecto; 4. no.

8. 1. a y 2. b.

UNIDAD 16

1. 1. venir. 2. empezar. 3. hacer. 4. decir. 5. querer. 6. comer. 7. salir. 8. dormir. 9. entender. 10. poder.

2. 1. pondrás. 2. sabrá. 3. empezará. 4. saldrás. 5. podrán. 6 querremos. 7. vendrán. 8. llegaréis. 9. haré. 10 diré.

3. 1. saldrá. 2. estará. 3. iré. 4. sabré. 5. estaréis – hablaremos. 6. querrá. 7. vendrá. 8. podré. 9. tendrá. 10. querrá.

4. 1. habrá. 2. costará. 3. estará. 4. será. 5. vendrá – serán.

5. 1. No tendrá hambre. 2. Estará lesionado. 3. Serán de Álex, siempre está recortando. 4. Saldrá con un compañero de clase. 5. Tendrá más dudas para el examen.

6. 2. Formarán un grupo de rock. 3. Viajarán a Hispanoamérica. 4. Fundarán una asociación de amantes de los deportes de riesgo. 5. Tendrán socios en todo el mundo. 6. Harán un safari por África. 7. Recorrerán Europa en tren.

7. I. En el norte subirán las temperaturas, pero habrá tormentas. 2. En el sur saldrán algunas nubes, no lloverá, pero hará frío. 3. En el oeste habrá temperaturas templadas y no habrá nubes, estará soleado.
4. En el este hará calor, subirán las temperaturas.

8. I. Probabilidad. 2. Planes y proyectos. 3. Probabilidad. 4. Pronósticos y predicciones. 5. Planes y proyectos.

9. a. falso. b. verdadero. c. verdadero. d. verdadero. e. verdadero.

UNIDAD 17

1. 2. decir. 3. comer. 4. estudiar. 5. poder. 6. hacer. 7. salir. 8. poner.

2. 2. hablaríamos. 3. comprenderíais. 4. tendrías. 5. pondría. 6. diría. 7. vendrías. 8. sabría.

3. I. debería. 2. le gustaría. 3. te gustaría. 4. tendríais. 5. querría. 6. podría. 7. sabrías.

4. I. ¿Le importaría cerrar la ventana? Hay corriente. 2. Buenos días, querría hablar con Antonio Alcaide. 3. Necesitaría salir un poco antes, tengo una reunión de vecinos. 4. ¿Te importaría leer este informe y decirme qué te parece? 5. ¿Podrías ayudarme con este paquete?

5. **Posibles respuestas**

   I. Podríamos ir / Me encantaría ir. 2. No deberías preguntar eso. 3. Tendrías que ir arreglado para la ocasión. 4. Me gustaría verlo / Me encantaría poder verlo. 5. Preferiría ir a Costa Rica / Me gustaría más ir a Costa Rica.

6. I. Petición cortés. 2. Deseo. 3. Sugerencia. 4. Sugerencia. 5. Deseo. 6. Sugerencia.

7. a. verdadero. b. falso. c. verdadero.

8. c. Querría un cuaderno.

UNIDAD 18

1. 2. Volver, usted. 3. Jugar, vosotros. 4. Decir, vosotros / -as. 5. Mentir, usted. 6. Oír, usted. 7. Tener, vos. 8. Pedir, ustedes. 9. Pensar, usted. 10. Leer, usted.

2. 2. no los tires - tíralos. 3. dile. 4. no lo / le busque(s). 5. termínenlo.

3. I. Sí, tómalo // No, no lo tomes. 2. ve a comprarlo / cómpralo // No, no vayas a comprarlo / no, no lo compres. 3. Sí, sí, sigue (recto) // No, no sigas (recto). 4. Sí, sí, devuélveselos // No, no se los devuelvas. 5. Sí, sí, díselo // No, no se lo digas.

4. 2. Hazles preguntas indiscretas. 3. No te intereses por sus problemas. 4. Discute con ellos por dinero. 5. No guardes sus secretos. 6. No seas sincero /-a con ellos.

5. 2. ofrecimiento. 3. consejo. 4. invitación. 5. orden. 6. consejo / orden. 7. instrucción. 8. consejo.

6. 2. Anda. 3. ¡Vaya! 4. Venga. 5. ¡Anda! / ¡Vaya! 6. Oiga. 7. ¿Diga? / ¿Dígame? 8. Perdone. 9. Perdona.

7. No pongas la música tan alta. / Recoge la habitación. / No vuelvas tarde a casa. / No veas tanto la tele. / No estés tanto tiempo con el ordenador. / No digas palabrotas.

8. I. c. 2. a. 3. f. 5. d. 6. e.

9. a. verdadero. b. falso. c. falso.

UNIDAD 19

1. I. He hablado con Rina y dice que ella también irá al cine. 2. ¿Vamos al Museo del Prado o al Reina Sofía? 3. Fran e Irene son los más pequeños de la familia, ¿no? 4. Está con dieta estricta: no puede comer pasteles ni nada de grasa. 5. A veces se puede reír o llorar por las mismas cosas.

2. 2. pero. 3. sino. 4. pero. 5. sino.

3. 1. y. 2. u. 3. ni – ni. 4. u. 5. ni. 6. y.

4. 1. g. 2. d. 3. e. 4. a. 5. f. 6. b. 7. c.

5. 1. Isabel habla español e inglés, lo aprendió en Gibraltar. 2. Astrid no habla sueco sino danés. 3. No comprende inglés aunque ha estudiado muchos años. 4. Tiene setenta y nueve u ochenta años. 5. Viene el jueves o el viernes, solo un día. 6. Ni viene el sábado ni el domingo: no tiene tiempo. 7. François habla español y su mujer también; 8. A Ana le encanta el fútbol, pero a su marido no / aunque a su marido no.

6. 1. *No nos gustan (ni) las carreras de coche ni (nos gusta) el motociclismo.* 2. No ha ganado el equipo del Real Madrid de fútbol sino el de baloncesto. 3. Viaja mucho a Liverpool, pero no habla inglés. 4. Estudia o trabaja, pero no hace las dos cosas a la vez. 5. Unas chaquetas son para sus hijas, otras para sus sobrinas.

7. 1. exclusión / amenaza. 2. restricción. 3. corrección. 4. exclusión / amenaza. 5. exclusión. 6. restricción. 7. corrección.

8. a. verdadero. b. falso. c. falso. d. falso. e. verdadero.

9. 1. o. 2. pero. 3. otros.

UNIDAD 20

1. 1. Mientras viví en Portugal, aprendí portugués. 2. Estuvimos esperando hasta que llegó. 3. Cuando salgo para el trabajo, veo a mi vecino. 4. Nada más enterarme de la noticia, llamé a todo el mundo. 5. Al llegar a la exposición, nos dieron unos auriculares.

2. **Posibles respuestas**

1. Cuando vuelvo a casa, siempre me paso por el supermercado. 2. Al ver a Pedro, / Cuando vi a Pedro, me acordé de la cita que teníamos. 3. No teníamos reserva; pagamos la entrada al llegar. / Cuando llegamos, pagamos la entrada. 4. En ese país son muy acogedores; en cuanto bajas del avión te ponen un collar de flores. 5. Al encender la computadora, me di cuenta de que tenía un virus.

3. 1. *hasta que.* 2. antes de. 3. al. 4. mientras. 5. cuando.

4. 2. **Mientras** José Manuel limpiaba los cristales, yo pasaba la aspiradora; 3. **Antes de** ducharme, desayuno. / Me ducho **después de** desayunar. / Desayuno antes de ducharme y después de desayunar, me ducho. 4. Esperamos a Juan **hasta que** llegó. 5. **Cuando** llamó Isabel, yo estaba trabajando con el ordenador.

5. cuando – al – hasta que – nada más – mientras.

6. 2. Hay que apagar y volver a encender el ordenador siempre que / cuando se cuelga. 3. Hay que cocer la pasta hasta que está "al dente". 4. No hay que abrir el capó del coche cuando el motor está encendido. 5. Hay que quitarse los zapatos al entrar en una mezquita. 6. Hay que lavarse las manos antes de comer.

7. 1. paso. 2. preparo. 3. empecé. 4. llegamos. 5. levantarte. 6. terminó.

8. a. verdadero. b. falso. c. falso.

9. 1. infinitivo – sustantivo – presente – pasado. 2. infinitivo.

UNIDAD 21

1. 2. Como tenía una reunión a esa hora, no ha visto el partido. 3. No ha venido a clase por estar enfermo. 4. Voy a comprarme el abrigo que me gustaba porque está rebajado. 5. Como ha llegado tarde, no ha podido entrar al concierto.

2. 2. por comer tanto marisco. 3. porque quería ver el *Guernica*. 4. porque la ha escrito un amigo mío de la juventud. 5. como no había ido a clase. 6. por la lluvia.

3. 2. A ¿**Por qué** estás tan cansada? **Porque** no duermo bien últimamente.

   3. G ¿**Por qué** no fuiste al concierto? **Porque** la entrada era carísima.

   4. B ¿**Por qué** no te compraste el vestido? **Porque** no me quedaba bien.

   5. E. ¿**Por qué** no comiste ayer? **Porque** me dolía el estómago.

   6. F. ¿**Por qué** no vino Luis a la cena? **Por** el dolor de cabeza que tenía.

   7. D. ¿**Por qué** no fuiste a la fiesta? **Porque** no me gustan las fiestas de empresa.

4. 2. por. 3. como. 4. como. 5. ¿por qué? – porque.

5. 1. El próximo año mis padres harán una gran fiesta porque celebran sus bodas de oro. / Como el próximo año mis padres celebran sus bodas de oro, harán una gran fiesta.

   2. Vamos a celebrar el cumpleaños en casa de Cecilia porque tiene jardín, barbacoa y piscina. / Como la casa de Cecilia tiene jardín, barbacoa y piscina, vamos a celebrar el cumpleaños allí.

   3. Estoy buscando un intercambio de conversación porque quiero aprender la lengua y conocer gente. / Como quiero aprender la lengua y conocer gente, estoy buscando un intercambio de conversación.

6. 1. *Pablo está herido porque ha tenido un accidente*. Lo atendieron inmediatamente porque lo llevaron enseguida a Urgencias en el Hospital Central. Como allí tienen buenos médicos, la familia de Pablo está tranquila.

2. Meli y yo nos conocemos muy bien porque somos amigas desde que empezamos a ir al colegio. Ahora nos vemos menos porque vivimos en ciudades diferentes. Como somos muy amigas, tratamos de mantener el contacto. Usamos el correo electrónico porque nos gusta mucho contarnos todo lo que nos pasa. Los mensajes por el móvil nos gustan menos porque no podemos escribir mucho.

7. a. verdadero. b. falso. c. falso.

8. 1. por. 2. como.

UNIDAD 22

1. 1. llueve / va a llover. 2. te duele. 3. quieres. 4. le gusta. 5. estudiás.

2. encuentro – gano – viajo – compraré – conozco – encuentro – me casaré – me caso – tengo.

3. 2. saldremos. 3. tienes que hacer / haz. 4. iré . 5. dale. 6. tenéis que decir / decid.

4. 2. Si quieres tener amigos, sé amable y generoso. 3. Si vas a Segovia, visita el Alcázar. 4. Si comes mucho dulce, te dolerán las muelas. 5. Si sales mucho por la noche, estarás cansado en clase. 6. Si te gusta leer, aprenderás sin darte cuenta.

5. **Posibles respuestas**

   2. Si llueve / si hace mal tiempo. 3. Si no conoces una palabra / si no sabes el significado de una palabra. 4. Si hay demasiado ruido en la calle / si entra demasiada luz. 5. Si tienes que llevar / si llevas muchas maletas. 6. Si duermes mal por la noche / si no duermes bien.

6. **Posibles respuestas**

   2. Si hablo con Luis, le digo que hay una fiesta el sábado. 3. Si el hotel no tiene aire acondicionado en las habitaciones, no voy. / Si en el hotel no hay aire acondicionado

en las habitaciones, no lo reservo. 4. Si quiere ver mejor, tiene que usar / llevar lentillas. 5. Si tus abuelos duermen mal, tienen que hacer taichí. / Si tus abuelos hacen taichí, dormirán mejor. 6. Si no riegas tus plantas, se morirán por el calor que hace.

7. a. falso. b. verdadero. c. verdadero.

8. 1. b. 2. a. 3. b.

UNIDAD 23

1. 1. Ayer llovía, así que no fuimos al parque. 2. Llegué tarde, por eso no pude entrar en clase. 3. Estás muy estresada, así que tómate vacaciones para relajarte. 4. Las luces están apagadas, por lo tanto los vecinos ya se han ido. 5. Esta ciudad es peligrosa, así que no salgas solo por la noche / por la noche solo.

2. 2. Ha ahorrado mucho dinero, por eso se ha ido de viaje a Tailandia. 3. Llueve mucho, así que no hemos salido. 4. Ya tenía el disco, de modo que lo ha cambiado. 5. Tenía hambre, así que ha comido ya.

3. 2. Ayer tuvimos cena de despedida con los estudiantes, así que hoy estamos cansadas. 3. Mañana llega el embajador de Brasil, por tanto habrá una recepción con el rey. 4. Ha suspendido el examen, por eso está enfadado. 5. Fran tiene el tobillo hinchado, o sea que no puede jugar al fútbol.

4. **Posibles respuestas**

2. Así que no te la compras. 3. Por tanto no vas a hablar con él. 4. Por eso lo echasteis de allí. 5. Entonces tienes que comprar otra, ¿no?

5. **Posibles respuestas**

A. *La tubería está rota,* **así que** *cae agua en el piso de abajo;* **por eso** *el vecino* de arriba llama al fontanero. El fontanero no viene, **de modo que** la vecina de abajo tiene el cuarto de baño inundado, y **por eso** protesta, **así que** el vecino de arriba cierra la llave del contador de agua, **por eso** tiene que ducharse en casa de la señora de la cuarta planta. **Así** que se hacen amigos.

B. *Un vecino encontró un cadáver en la calle* **de modo que** *llamó a la policía.* La policía llegó tarde, **por eso** no encontró a nadie en el lugar del crimen, **así que** buscaron por los alrededores algún sospechoso. Preguntaron a la mujer del quiosco de periódicos, que es muy miope, **así que** no vio nada, **o sea que** / **entonces** están sin pistas.

6. a. falso. b. verdadero. c. falso.

7. 1. a. así que. 2. b. o sea que.

UNIDAD 24

1. 2. bebas. 3. viva. 4. escriba. 5. paséis. 6. corra.

2. Presente de indicativo: 2, 3, 5. Presente de subjuntivo: 1, 4, 6.

3. Yo estudie, tú estudies, él estudie, vosotros estudiéis, ellos estudien. Yo baile, tú bailes, él baile, nosotros bailemos, vosotros bailéis, ellos bailen. Yo reciba, él reciba, nosotros recibamos, vosotros recibáis, ellos reciban. Yo cante, tú cantes, él cante, nosotros cantemos, vosotros cantéis, ellos canten. Yo me presente, tú te presentes, nosotros nos presentemos, vosotros os presentéis, ellos se presenten.

4.

1	2	3
¡Qué alegría que descansemos todo el día!	¡Qué terrible que luchen contra esto!	¡Qué mal que entres tan pronto!
¡Qué alegría descansar todo el día!	¡Qué terrible luchar contra esto!	¡Qué mal entrar tan pronto!
¡Qué alegría!	¡Qué terrible!	¡Qué mal!

5. l. Nosotros, nosotros. 2. Yo, tú. 3. Ella (Paula), ella (Paula). 4. Vosotros, ellos (los inspectores). 5. Ellos (mis padres), yo. 6. Nosotros, nosotros.

6. **Me pone:** l, 2, 4. **Me da:** 3, 5, 6.

7. 2. Descanses. 3. Lleve. 4. Mejore. 5. Envíe un correo / escriba.

8. **Posibles respuestas**

2. e. ¡Ojalá (que) *llame* pronto la chica que conocí ayer! 3. a. ¡Qué bien que no *ganen* el campeonato! 4. c. ¡Qué pena que los niños *trabajen* para mantener a sus familias! 5. d. Me da alegría que *lleguéis* hoy tan pronto al despacho.

9. 2. b. 3 a. 4 a. 5 a.

10. 2. Me sorprende. 3. Qué lástima. 4. Qué suerte. 5. Qué mal.

11. l. ¿Os apetece tomar un helado? 2. ¡Ojalá se solucione! 3. Tenemos ganas de hacer un viaje. 4. Quiere bailar. 5. ¡Que aproveche!

12. l. ¡Cuánto / cómo me alegro de que hable mi idioma! 2. ¡Cuánto / Cómo me sorprende que cante Carla / Carla vaya a cantar! 3. ¡Cuánto / Cómo odio hacer la compra!

13. l. e. 2. a. 3. a.

14. l. a. 2. c. 3. c.

UNIDAD 25

1. l. Nosotros /-as empecemos. Ellos / ellas / ustedes empiecen. 2. Nosotros /-as mintamos. Ellos / ellas / ustedes mientan. 3. Nosotros /-as perdamos. Ellos / ellas / ustedes pierdan. 4. Nosotros /-as nos divirtamos. Ellos / ellas / ustedes se diviertan. 5. Nosotros /-as entendamos. Ellos / ellas / ustedes entiendan. 6. Nosotros /-as cerremos. Ellos / ellas / ustedes cierren.

2.

Q	Y	D	L	V	Q	Y	S	K	B
W	U	F	S	U	G	I	E	R	A
E	I	G	I	B	Q	U	D	L	S
S	I	E	C	N	E	M	O	C	O
P	R	H	Ñ	N	W	I	F	Ñ	M
A	O	J	Z	M	E	O	G	Z	E
N	A	R	E	I	F	E	R	P	U
R	A	K	X	Ñ	R	P	H	X	G
A	T	I	E	N	D	A	S	C	E
T	S	L	C	N	T	A	J	V	N

3. b. a lo mejor, igual, probablemente, quizás.

c. probablemente, puede que, quizás.

d. probablemente, puede que, quizás.

e. a lo mejor, igual, probablemente, lo mismo es que, quizás.

f. a lo mejor, igual, probablemente, quizás.

4. l. No saldré este fin de semana, probablemente. 2. No es posible. Si *probablemente* va detrás, el verbo no puede estar en subjuntivo. 3. No es posible. *Igual* solamente puede ir delante del verbo. 4. Nos llamarán más tarde, a lo mejor. 5. Estamos preocupándonos demasiado, quizá. 6. No es posible. Si *tal vez* va detrás, el verbo no puede estar en subjuntivo.

5. l. A lo mejor / puede / puede ser / quizá(s) / tal vez / igual / lo mismo – a lo mejor / igual / lo mismo / igual es que / lo mismo es que / quizá(s) / posiblemente / probablemente / seguramente.

2. Puede que / puede ser que / quizá(s) / tal vez / posiblemente / probablemente / seguramente.

3. A lo mejor / igual / lo mismo / igual es que / lo mismo es que / quizá(s) / tal vez / posiblemente / probablemente / seguramente.

4. A lo mejor / tal vez / quizá(s) / posiblemente / probablemente / seguramente.

5. A lo mejor / quizá(s) / tal vez / posiblemente / probablemente / seguramente.

6. 1. *No está confirmado el plan, pero probablemente primero* cene / cenaré con unos amigos y después vaya / iré a bailar.

2. Es un lío. Igual lo llevo conmigo al campo y puede que haya allí un lugar donde dejarlo.

3. ¡Huy, cuánto lo siento!, pregunta en información, tal vez haya / hay otro vuelo a Roma con plazas libres.

4. ¿Por qué piensas eso? Posiblemente hay / habrá / haya mucho tráfico por la lluvia o lo mismo es que está con un amigo tomando una cerveza. // Lo mismo es que hay mucho tráfico por la lluvia o posiblemente está / esté con un amigo tomando una cerveza.

7. (1) a lo mejor, igual, igual es que, lo mismo, lo mismo es que. (2) puede (ser) que. (3) quizá(s), tal vez, posiblemente, probablemente, seguramente.

8. a. falso. b. verdadero. c. falso.

UNIDAD 26

1. 1. *Ellos traigan.* 2. Tú oigas. 3. Vosotros construyáis. 4. Usted conozca. 5. Nosotros vengamos. 6. Yo diga. 7. Vos tengas.

2. Como *hacer:* Nosotros deshagamos. Como *decir:* Yo contradiga. Como *salir:* Usted valga. Como *poner:* Usted componga. Como *traer:* Tú te caigas. Como *parecer:* Nosotros traduzcamos.

3. 1-b. 2-e. 3-f. 4-c. 5-a. 6-d.

4. 2. Es imposible que ella esté de acuerdo. 3. Es verdad que ella está de acuerdo.

4. Está bien que ella esté de acuerdo. 5. Está claro que ella está de acuerdo. 6. Es una suerte que ella esté de acuerdo.

5. 1. No es verdad que nosotros durmamos poco y mal. 2. No es un hecho que estemos en crisis. 3. Es cierto que está enferma. 4. Es lógico que responda así. 5. Es seguro que dicen toda la verdad.

6. **Posibles respuestas**

1. Es verdad que no nos preocupamos por nuestro planeta. 2. Es una suerte que le toque la lotería a una mujer pobre. 3. Es absurdo que se reúnan para protestar contra el consumo de café. 4. Está mal que haya tantos incendios.

7. **Posibles respuestas**

1. no es verdad que te metan... 2. Es evidente que la tecnología evoluciona demasiado rápido. 3. no es seguro que nos vayan... 4. Es verdad que mucha gente no las ve... 5. no es cierto que el azúcar sea...

8. 1. es verdad que se llama. 2. es sorprendente que. 3. ser emocionante que. 4. es triste / es una pena que. 5. no es seguro / no está claro / no es evidente.

9. (1) es raro que sea Vicente. (2) es posible que... (3) es lógico que... (4) es mejor que... (5) es evidente que... (6) es verdad que me llevé el dinero.

10. a. falso b. falso c. falso d. verdadero.

UNIDAD 27

1. Cuando tengas tiempo nos vemos / nos veremos / llámame.

2. Antes de. Nada más. Al. Después de.

3. 1. Cuando tenga tiempo, viajaré fuera de mi país. 2. Nunca hablaré de estos temas hasta que esté seguro. 3. Iré a verlo siempre que tenga una oportunidad. 4. En

cuanto llegue a casa me quitaré los tacones. 5. Se pondrá a limpiar el bar después de que se hayan ido los clientes.

4. 1. antes de que cierre. 2. en cuanto termine. 3. cuando cruces. 4. hasta que tú llegues. 5. siempre que me necesites. 6. mientras nadie me diga – antes de que te echen.

5. 1. En cuanto / tan pronto como esté seguro. 2. Hasta que deje de llover. 3. Cuando termine el anterior conferenciante. 4. Siempre que quieras.

6. 1. Antes de que se levante todo el mundo. 2. Cuando llegue a la universidad. 3. Tan pronto como termine las clases en la universidad. 4. En cuanto tenga ocasión. 5. Después de que llegue Francisco. 6. Hasta que llame su novia desde Canadá.

7. 1. Del futuro. 2. El límite de una acción. 3. Tan pronto como.

8. 1. b. 2. c.

UNIDAD 28

1. 1. pedirte. 2. vuelve. 3. quede. 4. te enteres. 5. me haga.

2. 2. Tengo que ir al médico a que me cure esta herida. 3. Hay que informarse antes para hablar con seguridad. / Para hablar con seguridad hay que informarse antes. 4. Le he buscado un profesor de Matemáticas a mi hijo a fin de que apruebe la asignatura. / A fin de que apruebe la asignatura, le he buscado un profesor a mi hijo. 5. Este robot es una buena ayuda para que no tengas que trabajar tanto en la casa. / Para que no tengas que trabajar tanto en la casa, este robot es una buena ayuda.

3. 1. ¿Para qué tenemos que reunirnos mañana? 2. Ø. 3. Hemos hecho este cambio en el horario **con el fin de** salir

media hora antes. 4. No estoy aquí para **que** me cuentes nada. 5. ¿A qué vienes a estas horas de la noche?

4. **A** llevarle el desayuno y el periódico. **Para que** no se enfríe. **Para** mantener el suspense **A fin de que** no se le escape ningún detalle. **A que** me des un beso. **Para** hacerme feliz.

5. **Posibles respuestas**

1. Para que / a fin de que ustedes hagan ejercicios / ustedes practiquen. 2. Al dentista, a que me saque una muela. 3. Sí, para no tener frío en Alaska. 4. Es una agenda para que anotes todo lo importante / Para que no te olvides de anotar todo lo importante, te he comprado una agenda.

6. (1) para / a fin de. (2) para que. (3) para que / a fin de que. (4) sirve. (5) para saber / ver. (6) para / a fin de. (7) para qué. (8) para que / a fin de que. (9) sepa / vea. (10) para qué. (11) a qué. (12) a que me den.

7. a. verdadero. b. verdadero. c. falso.

8. 1. En las preguntas. 2. Dar más importancia a la finalidad. 3. A fin de (que).

UNIDAD 29

1. 1. te. 2. Ø. 3. me. 4. Ø. 5. os. 6. le.

2. 1. Sugerir: ✓. 2. Pedir: ✓. 3. Rogar: ✓. 4. Necesitar: X. 5. Recomendar: ✓. 6. Aconsejar: ✓. 7. Querer: X. 8. Suplicar: ✓.

3. 1. Necesitamos que trabajéis. 2. Te sugiero comer más verdura. 3. ¿Quieren que los ayudemos?

4. 1. Ruego: petición o súplica. 2. Propongo: sugerencia o propuesta. 3. Quiero: mandato u orden. 4. Pido: petición o súplica. 5. Recomiendo: consejo. 6. Ha sugerido: sugerencia o propuesta. 7. Me exigen: mandato u orden.

5. 1. b. 2. b. 3. a. 4. b.

6. 1. Ø. 2. te. 3. Ø / os. 4. Ø.

7. 1. Te aconsejo / te sugiero que te relajes y que intentes divertirte. 2. Te ruego / te pido que no hables así. 3. Quiero que salgas de aquí ahora mismo. 4. Les rogamos / les suplicamos que tengan un poco de paciencia. 5. (os) propongo / (os) sugiero organizar / que organicemos un baile. 6. Necesito que me des más tiempo para terminar.

8. a. verdadero. b. falso, porque el OI señala el sujeto del verbo en subjuntivo o en infinitivo. c. verdadero.

UNIDAD 30

1. 1. a: *su - trabajaba*. b: su - trabajaba; 2. a: ha tenido. b: ayer - había tenido; 3. a: mañana - serán. b: al día siguiente - serían; 4. a: ayer - no fue - se sentía. b: el día anterior - no había ido - se sentía.

2. 1. el día anterior. 2. ayer. 3. hoy. 4. ese día.

3. 1. ir. 2. ir. 3. trae. 4. viene.

4. LA PROFESORA: 1. entregad / entreguen el lunes el trabajo en equipo; 2. elegid vosotros / elijan ustedes las actividades; 3. no comáis en clase / no coman en clase; 4. buscad información sobre el tema / busquen información sobre el tema.

LA PROFESORA HA DICHO: 1. que entreguemos el lunes el trabajo en equipo; 2. que elijamos nosotros las actividades; 3. que no comamos en clase; 4. que busquemos información sobre ese tema.

5. ESTA MAÑANA HE LEÍDO que el número de turistas aumentó el pasado verano, que bajan los precios de los alquileres, que los jóvenes exigen mejores condiciones laborales y que la compañía aérea Siberia anuncia una huelga para las vacaciones de Navidad.

LA SEMANA PASADA LEÍ que el número de turistas había aumentado / aumentó el pasado verano, que bajaban los precios de los alquileres, que los jóvenes exigían mejores condiciones laborales y que la compañía aérea Siberia anunciaba una huelga para las vacaciones de Navidad.

6. 2. Mi novio piensa que le engaño con otro. 3. Menos mal que ayer Lucía se dio cuenta de que llevaba una mancha en el pantalón. 4. En las noticias de anteayer la policía informó de que el año pasado disminuyó / había disminuido el número de fallecidos en accidentes de tráfico. 5. El otro día soñé que ya no había guerras en el mundo.

7. LUNES 18:

Mi hijo mayor me ha dicho que mañana no puede recoger a Pedro del cole.

Mi hijo mediano me ha dicho que esta mañana no ha podido comprar lo que le encargué porque no llevaba suficiente dinero.

Menos mal que mi hijo pequeño me ha dicho que ayer lo regañaron en el comedor porque comió muy poco, pero que hoy sí se lo ha comido todo.

Mi esposa me ha dicho que el miércoles se va a Suiza, que tendré que encargarme yo de hacer la compra y que volverá el viernes por la tarde.

VIERNES 22:

Mi hijo mayor me dijo que no podía recoger a Pedro del cole.

Mi hijo mediano me dijo que esa mañana no había podido comprar lo que le encargué / había encargado porque no llevaba suficiente dinero.

Menos mal que mi hijo pequeño me dijo que el día anterior lo habían regañado en el comedor porque había comido muy poco, pero que ese día se lo había comido todo.

Mi esposa me dijo que el miércoles se iba a Suiza, que yo tendría que encargarme de hacer la compra y que volvería hoy por la tarde.

8. a. Me ha preguntado por qué no voy a la fiesta.

b. Me preguntó cuánto tiempo hacía que estudiaba español.

c. Me ha preguntado si me gusta leer.

d. Me preguntó si había visto alguna película española.

9. b. ... que ella no era valiente y que no tenía fuerzas para despedirse de otra manera.

c. ... que estaba bien y que iba a volver pronto.

d. ... que solo necesitaba pensar un poco en ellos.

e. ... que necesitaba un poco más de tranquilidad.

f. ... que no buscaba nada, que no quería más libertad, que solo tenía que irse y pensar sin presiones.

g. ... que estaban los dos juntos, que él la abrazaba, pero después él se iba poco a poco y ella lo buscaba desesperadamente, pero no lo encontraba.

h. ... que lo perdía.

i. ... lo quería muchísimo.

10. a. falso; b. verdadero; c. verdadero, salvo con las preguntas. 4. verdadero.

11. 1. si. 2. qué. 3. vaya.

UNIDAD 31

1. 1. yo – ellos (mis amigos). 2. forma impersonal (hay que). 3. no se informa del sujeto (están buscando). 4. nosotros /-as. 5. impersonal (verbo meteorológico). 6. ellos / -as / ustedes – yo. 7. ustedes.

2. 1. Tu hermana. ¿Irán tus amigos a la fiesta? 2. El ordenador. Hoy en día las nuevas tecnologías son imprescindibles para trabajar. 3. Los helados de chocolate. Me encanta tu mirada. 4. Impersonal (fenómeno meteorológico) – tú. Hace tres días que no para de nevar. Abrigaos bien. 5. Los locos y los niños. Nosotros decimos la verdad. 6. El calor – yo. Las playas del sur no nos gustan, por eso en verano nos vamos al norte.

3. 1. Yo solo vi entrar a una persona. 2. ¿Quieren un poco más de tarta? (ustedes, ellos /-as). 3. El invierno pasado nevó mucho más que este (impersonal). 4. Tienen los alumnos nuevos la información necesaria? 5. Han cerrado la tienda de ropa hace poco tiempo (impersonal). / Han cerrado hace poco tiempo la tienda de ropa. 6. Si te gusta Diego, díselo (tú). 7. ¿Vendrán ustedes en avión o en coche? 8. Pregúntale tú al decano porque a mí me da miedo.

4. 2. Ø. 3. Ø. 4. Ustedes. 5. Ø. 6. El tren.

5. 1. yo – tú / Ø. 2. tú. 3. Ø – Ø. 4. Nosotros. 5. Ø – Ø / yo – yo. 6. Ø. 7. Ø – yo – Ø – yo – yo.

6. sin sujeto. 2. sujeto: unos amigos. 3. sin sujeto. 4. sin sujeto. 5. sujeto: mis padres.

7. a. falso. b. verdadero. c. verdadero. d. falso.

UNIDAD 32

1. 1. leyendo – leído. 2. muriendo – muerto. 3. poniendo – puesto. 4. riendo – reído. 5. siendo – sido. 6. volviendo – vuelto. 7. pudiendo – podido. 8. vistiendo – vestido. 9. oyendo – oído. 10. durmiendo – dormido. 11. diciendo – dicho. 12. haciendo – hecho. 13. construyendo – construido. 14. viendo – visto.

2. 1. andando – al entrar. 2. ver. 3. terminados. 4. comer. 5. cansado. 6. hacer – aburrido. 7. arreglada. 8. ¡a levantarse! 9. sin ir. 10. practicando – ¡a practicar!

3. 1. Ø – a. 2. a. 3. Ø. 4. sin – Ø. 5. que – de.
6. a. 7. sin. 8. a – que. 9. a – de – Ø. 10. de.

4. 1. Está cansado porque ha subido siete pisos andando. 2. Tiene los ojos irritados porque lleva tres días sin dormir. 3. Ha dejado de tener dolores de espalda.
4. ¿Sigues sin hablar con tu hermano?
5. Veo la televisión haciendo crucigramas.

5. 2. d. 3. a. 4. e. 5. c. 6. b.

6. 1. *acabamos* – podemos. 2. acabo.
3. terminar – se puso / se ha puesto.
4. dejé – sigo. 5. puedo – empezó / ha empezado. 6. empezar.

7. 1. Llevo cuatro años estudiando alemán. / Sigo estudiando alemán 2. He dejado de ir a trabajar en autobús. 3. Sigo comprando en el mismo supermercado. 4. Se estaba riendo y se puso a llorar. 5. Acaba de irse.

8. 1. Se aprende una lengua *hablando,* haciendo ejercicios, viendo películas en esa lengua. 2. Para hacer gazpacho, lavar y cortar la verdura, echar agua, sal, aceite y vinagre, pasar todo por la batidora. 3. Para sacar dinero del cajero, introducir la tarjeta, teclear el número personal, indicar la cantidad de dinero, pulsar *Aceptar.*

9. Buenas tardes, *desaparecida:* ¡Cuánto tiempo **llevo sin saber** de ti! Ayer **me puse a buscar** algún mensaje tuyo y… hoy **sigo buscando** porque todavía no he encontrado ninguno. He pensado: ¿Cómo puedo recuperar el contacto con ella? **Llamando** por teléfono, pero desgraciadamente aquella tarde no me diste tu nuevo número.

¿Estás **enfadada?** Al recordar nuestra última conversación, veo a dos personas **encantadas** de estar juntas. Nos recuerdo **hablando, riendo, compartiendo** una tarde inolvidable.

Te escribo **imaginando** otro reencuentro ¿Crees que es imposible? Nos despedimos casi **llorando,** por eso espero tener pronto noticias tuyas y que me digas cuándo volveremos a vernos. Siempre hay tiempo para los amigos; podemos charlar un rato **tomando** un café. ¿Qué me dices?

Un abrazo **ilusionado,**

Dominique

10. **Modo:** llamando, hablando, riendo, compartiendo. **Tiempo:** *al recordar,* imaginando, tomando. **Estado:** desaparecida, enfadada, encantadas, ilusionado.

11. a. falso. b. verdadero. c. verdadero. d. falso.

12. gerundio – gerundio – sin – infinitivo.

UNIDAD 33

1. **Posibles respuestas**

2. Tu vecino, que siempre protesta por todo, también ha protestado por las obras. 3. Isabel, que tanto nos ayuda, ahora está en apuros. 4. El día que te conocí no pude dormir por la noche.
5. Carlos y Juan, que son amigos nuestros, han organizado un viaje. 6. Estos pantalones que he comprado son muy incómodos. 7. El profesor que nos enseña español sabe muchos idiomas. 8. La calle que está vallada es poco conocida.
9. Nuestra ciudad, que está en el norte de España, es muy cosmopolita.

2. Puede llevar un *que* especificativo: un sustantivo con artículo determinado. Puede llevar un *que* explicativo: un nombre propio, un sustantivo con artículo determinado, un sustantivo con posesivo delante.

3. 1. Me han regalado una tarjeta que tiene música. 2. Pilar, que no sabe nada, se va a

disgustar mucho. 3. ¿Has visto la cartera que me regalaron mis alumnos? 4. No me gustan los dulces que tienen chocolate. 5. Mis tres hermanos, que son todos chicos, hacen *ballet* clásico. 6. Su madre, que está enferma, no puede subir estas escaleras. 7. Hemos comprado un libro de cocina que no sirve para nada.

4. 1. *que está* encima de / *en la silla.* 2. , que es abogado, . 3. que tienen invitación. 4. , que tengo 57 años, 5. que utilicé en la universidad.

5. 1. Los vecinos, que son muy amables, me van a ayudar. 2. Sammy, que dice que no sabe idiomas, habla inglés, francés y español. 3. Vuestro perro, que es precioso y me gusta mucho, me da un poco de miedo. 4. Las normas que afectan a la conducción no se respetan siempre. 5. Los hombres, que somos seres racionales, a veces actuamos como bestias.

6. ¡Atención! Hemos llegado al final del curso. Los alumnos de esta academia, que son todos estupendos, han obtenido resultados muy positivos en su aprendizaje del español, que es una lengua muy bonita, pero compleja. Voy a leer los nombres de los alumnos que han ganado los primeros premios este año: Ismail Maaluf, que ha ganado el primer premio de "relatos en español". John Richardson, que ha obtenido el primer premio al alumno más comunicativo. Hanna Scholl, premio en el concurso "España dentro y fuera". Vamos, Hanna, ¿dónde está Hanna? Sí, la chica que está al fondo, ven a recoger tu premio. Como profesora de lengua española quiero decir que nuestros alumnos, que son trabajadores, alegres y también amigos, son la fuerza de esta academia. A todos, muchas gracias.

7. 1. *tiene, ciudad conocida* – tenga, ciudad desconocida. 2. me regalaron, agenda conocida – permita, agenda desconocida.

3. cabía, ramo conocido – había, floreros conocidos – sirva, florero desconocido. 4. hable – corrija, persona desconocida, hable – tenga, persona desconocida.

8. a. falso. b. verdadero. c. verdadero.

9. 1. a. 2. b.

UNIDAD 34

1. 2. la casa. 3. no tiene antecedente. 4. la manera. 5 y 6. sin antecedente.

2. 1. a la alumna *que* mejor lee. 2. correcta. 3. correcta. 4. Pedro, **que / quien** tiene problemas con la ortografía, va a suspender. 5. a la misma dirección **adonde / a donde** lo mandaste ayer. 6. una abogada, **quien / que** nos lo explicó todo.

3. 2. con. 3. donde. 4. a. 5. de. 6. de – de. 7. hasta / a.

4. 1. *que.* 2. quien. 3. que / quienes. 4. que. 5. quien. 6. que. 7. quienes.

5.

1. Pepe y Marina,	que	habían mantenido el contacto con todos los amigos,	nos llamaron y nos reunieron.
2. Queríamos festejar nuestro encuentro	como	siempre habíamos hecho:	con una fiesta.
3. Celebramos la fiesta	donde	había bastante sitio,	es decir, en casa de David.
4. Pusimos una música	que	nos gustaba a todos,	pero a todo volumen.
5. Los vecinos de David,	que	son muy mayores,	vinieron a protestar.
6. El pobre David salió del problema	como	pudo:	invitando a los vecinos a quedarse.

6. 2. la última española **que vi no me gustó nada.** 3. la chica **que tiene el pelo pelirrojo y largo.** 4. **quienes hablan**

mal de mí. 5. no quiero seguir trabajando aquí, **donde no aceptan** ideas innovadoras.

7. 2. quieras. 3. se cayeron. 4. me enseñó. 5. pueda. 6. vivo / he vivido.

8. b, e.

9. *Quien* se refiere siempre a **personas.** *Como* se construye con indicativo si indica una forma de actuar **conocida,** pero va seguido de **subjuntivo** cuando nos referimos a una manera de actuar no conocida.

SOLUCIONES TEST DE AUTOEVALUACIÓN

1. b	5. a	9. c	13. b	17. b	21. c	25. a
2. b	6. c	10. b	14. a	18. a	22. a	26. a
3. c	7. b	11. b	15. a	19. b	23. a	
4. c	8. c	12. b	16. a	20. b	24. a	

OTROS TÍTULOS DE LA COLECCIÓN

Vocabulario

Fonética

Escritura

Verbos

Ortografía